숨마 주니어®

중학 영어

문장 해석 연습 ③

이룸이앤비
Education & Books

구성과 특징

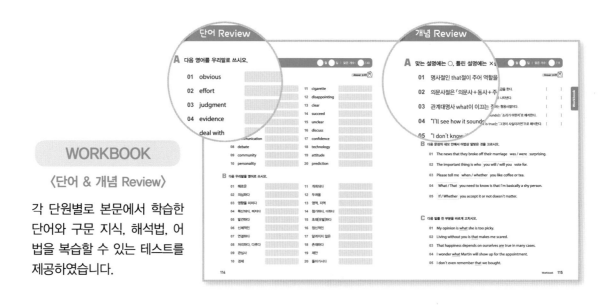

skill 03 의문사절이 쓰인 문장 읽기

나의 의문은 ~이다   그들이 언제 그것을 끝낼 것인지
My question is | when they'll finish it.
보어(의문사절)

- 의문사절(간접의문문)은 「의문사 + 주어 + 동사 ~」의 형태로, 명사 역할을 하므로 주어·목적어·보어 자리에 올 수 있다.
- 절 안에서 의문사 who, what, which는 주어·보어·목적어로 쓰이며, when, where, why, how는 부사로 쓰인다.

who ~: 누가[누구를] ~인지	what ~: 무엇이[무엇을] ~인지	which ~: 어떤 것이[어떤 것을] ~인지
when ~: 언제 ~인지	where ~: 어디서 ~인지	why ~: 왜 ~인지
how ~: 어떻게 ~인지	how + 형용사[부사] ~: 얼마나 …한[하게] ~인지	

- 일반 의문문은 「의문사 + be동사[조동사] + 주어 ~」, 의문사절은 「의문사 + 주어 + 동사 ~」의 어순이다.

다음 문장에서 명사절에 밑줄을 긋고, 명사절을 해석하시오.

1 How the disease spread rapidly is unclear.

2 The important thing is what you learn from your mistake.

3 Which job you choose can affect every area of your life.

4 Tell me how much salt I need to add.

🔒 **해석의 Key**
의문사 what / which 뒤에 명사가 오면, 의문사 what / which는 형용사처럼 쓰여 '어떤[어느] ~'으로 해석한다.

다음 괄호 안에서 알맞은 말을 고르고, 문장을 해석하시오.

5 I have no idea where [he is / is he].

6 I asked the conductor when [the bus leaves / leaves the bus].

- disease 질병
- spread 확산되다, 퍼지다
- unclear 불확실한
- affect 영향을 미치다
- area 영역, 지역
- salt 소금
- add 첨가하다, 더하다
- conductor 차장, 지휘자

020   Chapter 01 명사절   Answer p.2

---

① 60개 문장 패턴
중학 영어 교과서에 나오는 주요 문장 패턴을 학년별로 60개씩 정리하여 제시하였습니다.

② 해석 skill 설명
대표 문장을 앞세워, 문장 구조에 따른 해석법을 핵심만 간략하게 설명하였습니다. 문장 이해를 돕는 필수 어법에 대한 설명도 함께 제공하였습니다.

③ 해석 연습 문제
위에서 학습한 문장 해석법을 적용할 수 있도록 하였습니다. 보다 정확한 문장 해석에 필요한 추가 설명은 〈해석의 Key〉에서 제시하였습니다.

④ 어법 · 해석 연습 문제
학습한 필수 어법에 대한 이해도를 점검하면서 문장을 해석하는 문제로 구성하였습니다.

단어 Review

A 다음 영어를 우리말로 쓰시오.

01 obvious	11 cigarette
02 effort	12 disappointing
03 judgment	13 clear
04 evidence	14 succeed
deal with	15 unclear
	16 discuss
~munication	17 confidence
08 debate	18 technology
09 community	19 attitude
09 personality	20 prediction

B 다음 우리말을 영어로 쓰시오.

01 해로운	11 개최되다
02 의심하다	12 두려움
03 영향을 미치다	13 영역, 지역
04 확산되다, 퍼지다	14 첨가하다, 더하다
05 발견하다	15 초콜릿[유일]하다
06 신체적인	16 정신적인
07 연결하다	17 알려지지 않은
08 처리하다, 다루다	18 존재하다
09 관심사	19 제안
10 경제	20 돌아가시다

114

개념 Review

A 맞는 설명에는 ○, 틀린 설명에는 ×

01 명사절인 that절이 주어 역할을

02 의문사절은 「의문사 + 동사 + 주ㆍ

03 관계대명사 what이 이끄는 주ㆍ

04 "I'll see how it sounds~

05 "I don't know~

B 다음 문장의 네모 안에서 어법상 알맞은 것을 고르시오.

01 The news that they broke off their marriage was / were surprising.

02 The important thing is who you will / will you vote for.

03 Please tell me when / whether you like coffee or tea.

04 What / That you need to know is that I'm basically a shy person.

05 If / Whether you accept it or not doesn't matter.

C 다음 밑줄 친 부분을 바르게 고치시오.

01 My opinion is what she is too picky.

02 Living without you is that makes me scared.

03 That happiness depends on ourselves are true in many cases.

04 I wonder what Martin will show up for the appointment.

05 I don't even remember that we bought.

Workbook 115

WORKBOOK

〈단어 & 개념 Review〉

각 단원별로 본문에서 학습한 단어와 구문 지식, 해석법, 어법을 복습할 수 있는 테스트를 제공하였습니다.

STRUCTURE

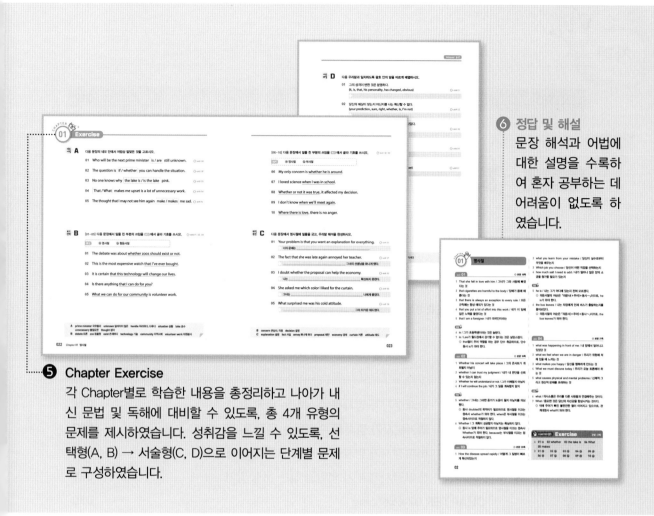

6 정답 및 해설
문장 해석과 어법에 대한 설명을 수록하여 혼자 공부하는 데 어려움이 없도록 하였습니다.

5 Chapter Exercise
각 Chapter별로 학습한 내용을 총정리하고 나아가 내신 문법 및 독해에 대비할 수 있도록, 총 4개 유형의 문제를 제시하였습니다. 성취감을 느낄 수 있도록, 선택형(A, B) → 서술형(C, D)으로 이어지는 단계별 문제로 구성하였습니다.

WORKBOOK

〈해석 Practice〉

한 단원 내에서 연관성 높은 skill을 서로 묶어 해석 연습 문제를 제공하였습니다. 본문의 문장과 유사한 문장으로 구성하여, 본문에서 학습한 내용을 완벽히 자신의 것으로 만들기 위한 보충 학습 자료로 활용할 수 있도록 하였습니다.

차례

CONTENTS

차례

CONTENTS

S	주어(Subject)	M	수식어(Modifier)
V	동사(Verb)	( )	생략할 수 있는 어구
O	목적어(Object)	to-v	to부정사
IO	간접목적어(Indirect Object)	v-ing	동명사 또는 현재분사
DO	직접목적어(Direct Object)	v-ed, p.p.	과거분사
C	보어(Complement)	l	의미 단위별 끊어 읽기
SC	주격 보어(Subjective Complement)		
OC	목적격 보어(Objective Complement)		

일러두기

문장 해석 연습 **학습 로드맵**

Workbook에 추가로 제공된 해석 연습 문제를 풀며, **본문의 내용을 반복 학습**하여 취약한 부분을 보충할 수 있도록 합니다.

WORKBOOK
해석 Practice

60개 문장 패턴의 해석법과 관련 어법을 공부합니다. 1개의 대표 문장과 4~5개의 연습 문장을 통해 해석법을 확실히 익힌 후, 해설을 통해 정답과 오답을 반드시 확인하고 정리하도록 합니다.

본 문
해석 skill 학습

START!

INTRO
필수 기본 지식

본문 학습을 시작하기 전, 학습 내용을 이해하는 데 필요한 가장 **기본적인 개념**을 익히도록 합니다.

충분한 해석 연습을 한 후, 20~25개의 **Exercise 문제를 통해 학습한 내용을 종합적으로 테스트**해보도록 합니다. 틀린 문제의 경우, 문제 옆에 표시되어 있는 연계 skill을 다시 학습하도록 합니다.

CHAPTER EXERCISE

ROAD MAP

Study Plan에 따른 〈학습 로드맵〉입니다.
효과적인 학습을 위해 Study Plan에 따라 학습을 진행하길 권장합니다.

WORKBOOK 개념 Review

단어 학습을 끝낸 후, 개념 Review 문제를 풀며 해당 Chapter에서 학습한 **구문 지식, 해석법, 어법을 다시 점검**해보도록 합니다.

WORKBOOK 단어 Review

Chapter 학습을 끝낸 후, 본문과 Exercise 하단에 있는 **주요 단어를 복습**한 후 테스트해보도록 합니다.

부가 서비스 (홈페이지)

이룸이앤비 홈페이지(http://ms.erumenb.com)에서 〈단어 테스트지〉와 〈본문 해석 연습지〉를 다운받아, 본문의 모든 **주요 단어 및 문장 해석을 마스터**합니다.

STUDY PLAN

학습일		본문	WORKBOOK	학습 날짜
			학습 내용	
CHAPTER 01	Day 01	skill 01~02	해석 Practice ①	___월 ___일
	Day 02	skill 03~04	해석 Practice ②	___월 ___일
		Exercise	단어 Review, 개념 Review	
CHAPTER 02	Day 03	skill 05~06	해석 Practice ①	___월 ___일
	Day 04	skill 07~08	해석 Practice ②	___월 ___일
		Exercise	단어 Review, 개념 Review	
CHAPTER 03	Day 05	skill 09~11	해석 Practice ①	___월 ___일
	Day 06	skill 12~13	해석 Practice ②	___월 ___일
	Day 07	skill 14~15	해석 Practice ③	___월 ___일
	Day 08	skill 16~17	해석 Practice ④	___월 ___일
	Day 09	Exercise	단어 Review, 개념 Review	___월 ___일
CHAPTER 04	Day 10	skill 18~19	해석 Practice ①	___월 ___일
	Day 11	skill 20~21	해석 Practice ②	___월 ___일
		Exercise	단어 Review, 개념 Review	
CHAPTER 05	Day 12	skill 22~23	해석 Practice ①	___월 ___일
	Day 13	skill 24~25	해석 Practice ②	___월 ___일
		Exercise	단어 Review, 개념 Review	

교과서 주요 문장 패턴 60개를 30일 동안 내 것으로 만들어 보자!
매일매일 풀 양을 정해놓고 일정 시간 동안 꾸준히 풀어본다.

학습일	본문		WORKBOOK	학습 날짜
		학습 내용		
Day 14	skill	26~28	해석 Practice ①	___월 ___일
Day 15	skill	29~30	해석 Practice ②	___월 ___일
Day 16	skill	31~32	해석 Practice ③	___월 ___일
	Exercise		단어 Review, 개념 Review	
Day 17	skill	33~34	해석 Practice ①	___월 ___일
Day 18	skill	35~36	해석 Practice ②	___월 ___일
Day 19	skill	37~38	해석 Practice ③	___월 ___일
Day 20	skill	39~40	해석 Practice ④	___월 ___일
	Exercise		단어 Review, 개념 Review	
Day 21	skill	41~43	해석 Practice ①	___월 ___일
Day 22	skill	44~46	해석 Practice ②	___월 ___일
Day 23	skill	47~48	해석 Practice ③	___월 ___일
Day 24	Exercise		단어 Review, 개념 Review	___월 ___일
Day 25	skill	49~50	해석 Practice ①	___월 ___일
Day 26	skill	51~52	해석 Practice ②	___월 ___일
Day 27	skill	53~55	해석 Practice ③	___월 ___일
Day 28	Exercise		단어 Review, 개념 Review	___월 ___일
Day 29	skill	56~58	해석 Practice ①	___월 ___일
Day 30	skill	59~60	해석 Practice ②	___월 ___일
	Exercise		단어 Review, 개념 Review	

CHAPTER 06 — Day 14, Day 15, Day 16
CHAPTER 07 — Day 17, Day 18, Day 19, Day 20
CHAPTER 08 — Day 21, Day 22, Day 23, Day 24
CHAPTER 09 — Day 25, Day 26, Day 27, Day 28
CHAPTER 10 — Day 29, Day 30

문장 해석 연습을 위한 필수 지식

 문장의 구성

영어 문장은 크게 주어가 있는 주부와 동사가 있는 술부로 구성된다. 술부에는 동사에 따라 목적어, 보어 등이 포함되며, 주부와 술부에는 각각 수식어구가 올 수 있다.

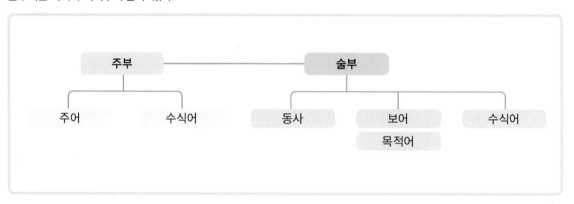

β **문장 형식**

1. 1형식

   S + **V** + **(M)**   'S가 V하다'
   주어   동사   (수식어구)

   주어 자리에는 명사나 명사 역할을 하는 구나 절이 오고, 동사는 완전자동사가 쓰인다.

   • **My brother sleeps late at night**. (나의 형은 밤에 늦게 잔다.)
     주어   동사   수식어구

2. 2형식

   S + **V** + **SC**   'S가 SC이다[하다 / 되다]', 'S가 SC하게 V하다'
   주어   동사   주격 보어

   주격 보어 자리에는 명사나 명사 역할을 하는 구, 절, 또는 형용사가 오고, 동사는 불완전자동사가 쓰인다.

   • **The girl's face turned red**. (그 소녀의 얼굴은 빨갛게 변했다.)
       주어   동사   주격 보어

3. 3형식

S + **V** + **O**   'S가 O를 V하다'
주어 동사 목적어

목적어 자리에는 명사나 명사 역할을 하는 구, 절이 오고, 동사는 완전타동사가 쓰인다.

- **She needs a rest**. (그녀는 휴식을 필요로 한다.)
  주어 동사 보어

4. 4형식

S + **V** + **IO** + **DO**   'S가 IO에게 DO를 V하다'
주어 동사 간접목적어 직접목적어

간접목적어(~에게)와 직접목적어(~을/를)가 오고, 동사는 수여동사가 쓰인다.

- **Ms. Smith gives us a lot of homework**. (Smith 선생님은 우리에게 많은 숙제를 내주신다.)
  주어   동사   간접목적어 직접목적어

5. 5형식

S + **V** + **O** + **OC**   'S가 O를 OC에게 V하다'
주어 동사 목적어 목적격 보어

목적격 보어 자리에는 명사, 형용사, to부정사, 원형부정사, 분사가 오고, 동사는 불완전타동사가 쓰인다.

- **We called the cat Luna**. (우리는 그 고양이를 Luna라고 불렀다.)
  주어 동사 목적어 목적격 보어

 구와 절

1. 구

두 개 이상의 단어가 모여 하나의 품사 역할을 하는 덩어리로, 그 역할에 따라 명사구, 형용사구, 부사구로 나뉜다.

- **Making a decision** is hard. (결정을 하는 것은 어렵다.)
  명사구

- Tomorrow is a good time **to talk about this matter**. (내일은 이 문제에 관해 이야기하기 좋은 때이다.)
  형용사구

- It happened **this morning in the parking lot**. (그 일은 오늘 아침에 주차장에서 일어났다.)
  부사구   부사구

2. 절

- 구와 마찬가지로 여러 단어가 모여 하나의 품사 역할을 하지만, 그 자체에 「주어＋동사」가 포함되어 있는 덩어리이다. 그 역할에 따라 명사절, 형용사절, 부사절로 나뉜다.

- 주절은 문장의 주인이 되는 절로서 단독으로 쓰일 수 있는 반면, 종속절은 주절에 붙어 있는 절로서 단독으로 쓰지 못한다. 종속절은 문장 내에서 명사절, 형용사절, 부사절의 기능을 한다.

- **This is** <u>what I want to say</u>. (이것이 내가 말하고 싶은 것이다.)
  주절　　　종속절(명사절)

- **There are some birds** <u>which can't fly at all</u>. (전혀 날 수 없는 일부 새들이 있다.)
  　　　주절　　　　　　종속절(형용사절)

- **While I was jogging**, **I fell down**. (나는 조깅을 하다가 넘어졌다.)
  　종속절(부사절)　　　주절

 D　끊어 읽기의 기본

의미상 밀접한 단어들끼리 묶은 것을 의미 단위라 한다. 문장을 의미 단위별로 묶어서 끊어 읽으면, 복잡한 문장 구조도 쉽게 파악할 수 있고 해석을 정확하고 빠르게 할 수 있다.

1. 주어가 두 단어 이상이면 동사 앞에서 끊어라

- The most important thing / is your health.
  (가장 중요한 것은 / 여러분의 건강이다)

- The man with sunglasses / is my new P.E. teacher.
  (선글라스를 낀 남자는 / 나의 새 체육 선생님이시다)

2. 구나 절 형태의 긴 목적어나 보어 앞에서 끊어라

- I want / to travel around the world.
  (나는 원한다 / 세계 곳곳을 여행하기를)

- Did you know / that Jane broke up with her boyfriend?
  (너는 알고 있었니 / Jane이 남자친구와 헤어진 것을)

3. 진주어 또는 진목적어 앞에서 끊어라

- It is not easy / to find water in the desert.
  (쉽지 않다 / 사막에서 물을 찾는 것은)

- I make it a rule / to go to bed at 11 o'clock.
  (나는 규칙으로 하고 있다 / 11시에 자는 것을)

4. 콤마(,)가 있는 부분에서 끊어라
- If you want, / you can look around.
  (당신이 원한다면 / 둘러보아도 좋습니다.)
- Unfortunately, / I coudn't find my backpack.
  (불행히도 / 나는 배낭을 찾을 수 없었다.)

5. 접속사 앞에서 끊어라
- Please look after my baby / while I'm away.
  (제 아이 좀 돌봐주세요 / 제가 없는 동안에)
- Her father passed away / when she was six years old.
  (그녀의 아버지는 돌아가셨다 / 그녀가 여섯 살 때)

6. 관계사 앞에서 끊어라
- I'm looking for someone / who can take care of my dog.
  (나는 누군가를 찾고 있다 / 내 개를 돌봐줄 수 있는)
- The year 2002 was the year / when the World Cup was held in Korea.
  (2002년은 해였다 / 한국에서 월드컵이 열린)

7. 전치사구나 부사구 앞에서 끊어라
- I worked there / for about two years.
  (나는 그곳에서 일했다 / 약 2년간)
- I was born / in Seoul / in 1988.
  (나는 태어났다 / 서울에서 / 1988년에)

숨마 주니어® 중학 영어 문장 해석 연습 ❸

CHAPTER
01

명사절
문장에서 명사를 대신하는 절

● **주절**

문장에서 주인이 되는 절로, 그 자체로 완전한 문장이 될 수 있다.

● **종속절**

주절에 딸려 붙어 있는 절로, 접속사나 관계사로 시작하며 단독으로 쓰지 못한다. 문장 내에서 명사절, 형용사절,
부사절의 기능을 한다.

● **종속접속사**

종속절을 주절에 연결시켜주는 접속사이다.
We went to the movies after we had lunch.
　　　주절　　　　　　종속접속사 after가 이끄는 종속절

● **명사절**

명사처럼 쓰여 문장에서 주어·목적어·보어 역할을 하는 절이다. that절, whether절, 의문사절(간접의문문),
관계대명사 what이 이끄는 절 등이 있다.

● **의문사의 종류**

who(누가), **what**(무엇), **which**(어떤 것), **when**(언제), **where**(어디서), **how**(어떻게), **why**(왜)

하나의 선택이 여러분의 인생 전체를 바꿀 수 있다는 것은   사실이다

That one choice can change your whole life | is true.

주어(that절)   동사

- 접속사 that이 이끄는 절은 「that+주어+동사~」의 형태로, '~하다는[라는] 것'으로 해석한다. 명사 역할을 하므로 주어·목적어·보어 자리에 올 수 있다. 앞에 나온 선행사를 수식하는 형용사적 역할을 하는 관계대명사 that과 구별할 수 있어야 한다.
- **동격의 that**: idea, thought, opinion, question, fact, truth, news, rumor, decision 등의 명사를 that절이 뒤에서 보충 설명하기도 한다. 이때 that절은 '~하다는[라는]'으로 해석한다.

어법 that절을 포함한 모든 명사절은 주어로 쓰일 때 단수 취급을 하므로 뒤에 단수 동사가 이어져야 한다.

🔍 다음 문장에서 명사절에 밑줄을 긋고, 명사절을 해석하시오.

1 That she fell in love with him is obvious.

⤷

2 I told him that cigarettes are harmful to the body.

⤷

3 The problem is that there is always an exception to every rule.

⤷

4 It is clear that you put a lot of effort into this work.

⤷

5 The fact that I am a foreigner is a big advantage.

⤷

🔒 **해석의 Key**

명사절이 주어일 때, 일반적으로 「It(가주어) ~ 명사절(진주어)」 형태로 쓴다. 이때, It은 따로 해석하지 않는다.

어법 다음 괄호 안에서 알맞은 말을 고르고, 문장을 해석하시오.

6 That he is an elementary school student [is / are] surprising.

⤷

7 That Lee can't play in the World Cup [is / are] disappointing.

⤷

□ **obvious** 분명한
□ **cigarette** 담배
□ **harmful** 해로운
□ **exception** 예외
□ **clear** 분명한, 확실한
□ **effort** 노력
□ **foreigner** 외국인
□ **advantage** 이점, 장점
□ **disappointing** 실망스러운

whether절이 쓰인 문장 읽기

나는 궁금하다   내 아들이 집에 있는지 없는지

I wonder | whether my son is at home.

목적어(whether절)

- 접속사 whether가 이끄는 절은 「**whether+주어+동사~**」의 형태로, '**~인지 아닌지**'로 해석한다. 명사 역할을 하므로 주어 · 목적어 · 보어 자리에 올 수 있다.
- 접속사 if도 '~인지 아닌지'라는 뜻으로 쓰여 명사절을 이끌 수 있지만, if가 이끄는 명사절은 동사의 목적어나 진주어로 만 쓰인다.

어법 시간 · 이유 · 양보의 접속사(when, because, although 등)가 이끄는 절은 부사절이므로, 주어 · 목적어 · 보어 자리에 올 수 없다. whether는 명사절 외에도 부사절을 이끌 수 있음에 유의한다.

🔍 다음 문장에서 명사절에 밑줄을 긋고, 명사절을 해석하시오.

1 Whether his concert will take place hasn't been decided.

↪

2 The question is whether I can trust my judgment.

↪

3 Whether he will understand or not is another matter.

↪

4 I can't decide if I will continue the job.

↪

🔒 **해석의 Key**

whether 바로 뒤 또는 whether절 뒤쪽에 or not을 함께 쓰기도 하며, 해석상의 차이는 없다.

어법 다음 괄호 안에서 알맞은 말을 고르고, 문장을 해석하시오.

5 She doubted [when / whether] such evidence would be helpful.

↪

6 [Because / Whether] the plan will succeed or not is not certain.

↪

□ **take place** 개최되다, 일 어나다
□ **decide** 결정하다
□ **judgment** 판단
□ **matter** 문제
□ **continue** 계속하다
□ **doubt** 의심하다
□ **evidence** 증거
□ **succeed** 성공하다
□ **certain** 확실한

Answer p.2

나의 의문은 ~이다   그들이 언제 그것을 끝낼 것인지

My question is | when they'll finish it.

보어(의문사절)

- 의문사절(간접의문문)은 「의문사(+주어)+동사 ~」의 형태로, 명사 역할을 하므로 주어 · 목적어 · 보어 자리에 올 수 있다.
- 절 안에서 의문사 who, what, which는 주어 · 보어 · 목적어로 쓰이며, when, where, why, how는 부사로 쓰인다.

who ~: 누가[누구를] ~인지	what ~: 무엇이[무엇을] ~인지	which ~: 어떤 것이[어떤 것을] ~인지
when ~: 언제 ~인지	where ~: 어디서 ~인지	why ~: 왜 ~인지
how ~: 어떻게 ~인지	how+형용사[부사] ~: 얼마나 …한[하게] ~인지	

어법   일반 의문문은 「의문사 + be동사[조동사] + 주어 ~」, 의문사절은 「의문사(+주어) + 동사 ~」의 어순이다.

🔍 다음 문장에서 명사절에 밑줄을 긋고, 명사절을 해석하시오.

1 How the disease spread rapidly is unclear.

⇨

2 The important thing is what you learn from your mistake.

⇨

3 Which job you choose can affect every area of your life.

⇨

4 Tell me how much salt I need to add.

⇨

🔒 **해석의 Key**

의문사 what / which 뒤에 명사가 오면, 의문사 what / which는 형용사처럼 쓰여 '어떤[어느] ~'으로 해석한다.

어법 ✋ 다음 괄호 안에서 알맞은 말을 고르고, 문장을 해석하시오.

5 I have no idea where [he is / is he].

⇨

6 I asked the conductor when [the bus leaves / leaves the bus].

⇨

□ **disease** 질병
□ **spread** 확산되다, 퍼지다
□ **unclear** 불확실한
□ **affect** 영향을 미치다
□ **area** 영역, 지역
□ **salt** 소금
□ **add** 첨가하다, 더하다
□ **conductor** 차장, 지휘자

Answer p.2

what절이 쓰인 문장 읽기

나는 너에게 주겠다   네가 원하는 것을

I will give you | what you want.

목적어(관계대명사 what절)

• 관계대명사 what이 이끄는 절은 「**what+주어+동사~**」 또는 「**what+동사~**」의 형태로, '**~하는 것**'으로 해석한다. 명사 역할을 하므로 주어 · 목적어 · 보어 자리에 올 수 있다.

어법 관계대명사 what 뒤에는 문장 성분이 빠진 불완전한 절이 이어지는 반면, 접속사 that 뒤에는 문장 성분을 모두 갖춘 완전한 절이 이어진다.

🔍 다음 문장에서 명사절에 밑줄을 긋고, 명사절을 해석하시오.

1 I couldn't believe what was happening in front of me.

⤵

2 Fear is what we feel when we are in danger.

⤵

3 Discover what makes you happy and pursue it.

⤵

4 What we must discuss today is how to deal with bullying.

⤵

5 Stress is what causes physical and mental problems.

⤵

어법 다음 괄호 안에서 알맞은 말을 고르고, 문장을 해석하시오.

6 Communication is [that / what] links us with other people.

⤵

7 [That / What] is important is to improve your confidence.

⤵

🔒 **해석의 Key**
'~하는 것'이라는 뜻의 관계대명사 what은 '무엇'이라는 뜻의 의문사 what과 구별된다.

☐ fear 두려움
☐ discover 발견하다
☐ pursue 추구하다, 쫓다
☐ discuss 토론하다
☐ deal with ~을 다루다
☐ bullying 왕따, 괴롭힘
☐ cause 초래[유발]하다
☐ physical 신체적인
☐ mental 정신적인
☐ communication 의사소통
☐ link 연결하다
☐ improve 향상시키다
☐ confidence 자신감

Answer p.2

네모 어법 **A** 다음 문장의 네모 안에서 어법상 알맞은 것을 고르시오.

01 Who will be the next prime minister │ is / are │ still unknown. ⟳ skill 03

02 The question is │ if / whether │ you can handle the situation. ⟳ skill 02

03 No one knows why │ the lake is / is the lake │ pink. ⟳ skill 03

04 │ That / What │ makes me upset is a lot of unnecessary work. ⟳ skill 04

05 The thought that I may not see him again │ make / makes │ me sad. ⟳ skill 01

보기 선택 **B** [01-05] 다음 문장에서 밑줄 친 부분의 쓰임을 보기 에서 골라 기호를 쓰시오. ⟳ skill 01, 02, 04

> 보기   ⓐ 명사절   ⓑ 형용사절

01 The debate was about whether zoos should exist or not.

02 This is the most expensive watch that I've ever bought.

03 It is certain that this technology will change our lives.

04 Is there anything that I can do for you?

05 What we can do for our community is volunteer work.

A prime minister 국무총리   unknown 알려지지 않은   handle 처리하다, 다루다   situation 상황   lake 호수
unnecessary 불필요한   thought 생각
B debate 토론   zoo 동물원   exist 존재하다   technology 기술   community 지역사회   volunteer work 자원봉사

[06-10] 다음 문장에서 밑줄 친 부분의 쓰임을 [보기]에서 골라 기호를 쓰시오. ○ skill 02, 03

[보기]   ⓐ 명사절   ⓑ 부사절

06 My only concern is <u>whether he is around</u>.

07 I loved science <u>when I was in school</u>.

08 <u>Whether or not it was true</u>, it affected my decision.

09 I don't know <u>when we'll meet again</u>.

10 <u>Where there is love</u>, there is no anger.

해석완성 C 다음 문장에서 명사절에 밑줄을 긋고, 우리말 해석을 완성하시오.

01 Your problem is that you want an explanation for everything. ○ skill 01
너의 문제는 _____.

02 The fact that she was late again annoyed her teacher. ○ skill 01
_____ 그녀의 선생님을 화나게 했다.

03 I doubt whether the proposal can help the economy. ○ skill 02
나는 _____ 확신하지 못한다.

04 She asked me which color I liked for the curtain. ○ skill 03
그녀는 _____ 나에게 물었다.

05 What surprised me was his cold attitude. ○ skill 04
_____ 그의 차가운 태도였다.

B concern 관심사, 걱정   decision 결정
C explanation 설명   fact 사실   annoy 화나게 하다   proposal 제안   economy 경제   curtain 커튼   attitude 태도

D 다음 우리말과 일치하도록 괄호 안의 말을 바르게 배열하시오.

01 그의 성격이 변한 것은 분명하다.
(it, is, that, his personality, has changed, obvious) ↳ skill 01

02 당신의 예상이 맞는지 아닌지를 나는 확신할 수 없다.
(your prediction, sure, right, whether, is, I'm not) ↳ skill 02

03 당신은 내가 어떻게 느끼고 있는지를 내게 묻지 않았다.
(how, haven't, you, me, I'm, asked, feeling) ↳ skill 03

04 나에게 중요한 것은 당신이 행복하다는 것이다.
(matters, you're, is, that, what, to me, happy) ↳ skill 04

05 나는 그의 아버지가 돌아가셨다는 소식을 들었다.
(the news, I, passed away, heard, that, his father) ↳ skill 01

D personality 성격 prediction 예상 matter 중요하다 pass away 돌아가시다

CHAPTER 02

수식어구
문장의 확장

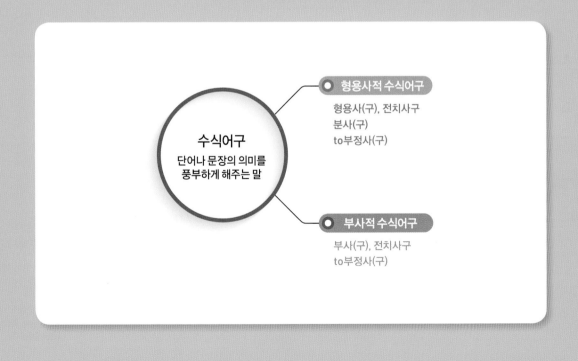

형용사적 수식어구

형용사(구), 전치사구
분사(구)
to부정사(구)

수식어구
단어나 문장의 의미를
풍부하게 해주는 말

부사적 수식어구

부사(구), 전치사구
to부정사(구)

내 옆에서 웃고 있는 여자는   내 여동생이다

The woman [smiling next to me] | is my younger sister.

주어   수식어구(현재분사구)   동사

- 분사는 명사를 수식할 수 있다. 단독으로 쓰인 분사는 명사를 앞에서 수식하지만, 분사구는 명사를 뒤에서 수식한다.
- 명사를 수식하는 현재분사(구)는 '(직접) ~하는'(능동)으로 해석하거나 '(지금) ~하고 있는'(진행)으로 해석한다.

어법 분사구가 수식하는 명사가 문장의 주어일 때, 동사는 수식 받는 명사의 수에 일치시킨다.

🔍 다음 밑줄 친 부분에 유의하여 문장을 해석하시오.

1 I spotted a family of ducks swimming in the water.

  ⇨

2 There are birds building nests from left to right.

  ⇨

3 The video shows a girl dancing in the parade.

  ⇨

4 He walked quickly past the dog barking wildly at him.

  ⇨

5 There is a train leaving for New York at noon.

  ⇨

🔒 **해석의 Key**

수식어(구)는 수식 받는 단어와 하나로 묶어서 해석한다.

어법 다음 괄호 안에서 알맞은 말을 고르고, 문장을 해석하시오.

6 The pictures hanging on the wall [was / were] painted by my son.

  ⇨

7 The man cooking food for us [are / is] a famous chef.

  ⇨

□ **spot** 발견하다
□ **duck** 오리
□ **nest** 둥지
□ **parade** 행진, 행렬
□ **past** ~을 지나쳐서
□ **bark** 짖다
□ **wildly** 사납게
□ **hang** 걸다, 매달다
□ **chef** 요리사

Answer p.3

과거분사가 명사를 수식하는 문장 읽기

그는 　　쓰고 있다 　　　　　　　　　　　배지로 뒤덮인 모자를
He | was wearing | a hat [covered in badges].
　　　　　　　　　　목적어 ↑　　　　　수식어구(과거분사구)

• 명사를 수식하는 과거분사(구)는 '~된[해진]'(수동)으로 해석하거나 '~한 (상태인)'(완료)으로 해석한다.

어법 명사와 수식하는 분사와의 관계가 능동이면 현재분사를, 수동이면 과거분사를 쓴다.

🔍 다음 문장에서 수식어구에 밑줄을 긋고, 문장을 해석하시오.

1 This is the temple built three hundred years ago.

⇨

2 The wind blew away the leaves fallen on the ground.

⇨

3 The necklace given to me by him is very expensive.

⇨

4 The best invention made by humans is the wheel.

⇨

5 The city was an ancient Roman city destroyed by a volcano.

⇨

🔒 **해석의 Key**

동사 make는 과거형과 과거분사형이 made로 서로 같다. 따라서 made가 문장에서 과거형 동사로 쓰였는지, 과거분사로 쓰였는지를 구별할 수 있어야 한다.

어법 다음 괄호 안에서 알맞은 말을 고르고, 문장을 해석하시오.

6 The language [speaking / spoken] in Switzerland varies by region.

⇨

7 Only people [invited / inviting] to the event will be able to attend.

⇨

☐ temple 절, 사원
☐ necklace 목걸이
☐ invention 발명품
☐ wheel 바퀴
☐ ancient 고대의
☐ destroy 파괴하다
☐ volcano 화산
☐ Switzerland 스위스
☐ vary 다양하다
☐ region 지역
☐ attend 참석하다

Answer p.3

to부정사가 명사를 수식하는 문장 읽기

없다   앉을 의자가 하나도
There aren't │ any chairs [to sit on].
주어 ──────── 수식어구(to부정사구)

- to부정사는 명사를 뒤에서 수식할 수 있다. **명사를 수식하는 to부정사(구)**는 '~하는[할]'로 해석한다.
- 「명사+to부정사」 형태일 때, 우선 to부정사가 앞 명사를 수식하는지부터 파악해야 한다.

어법 to부정사의 수식을 받는 명사가 전치사의 목적어일 경우, to부정사 뒤에 전치사를 반드시 써야 한다.
(There aren't any chairs to sit on.에서 chairs는 전치사 on의 목적어 – sit on chairs)

🔍 다음 밑줄 친 부분에 유의하여 문장을 해석하시오.

1 We are looking for a man to make a speech on the subject.

⮑ _____

2 You should write down questions to ask the doctor.

⮑ _____

3 Let's buy something delicious to eat for dinner. 🔑

⮑ _____

4 I need someone to take care of my dog while I'm away.

⮑ _____

5 Winter isn't the best time to travel in this country.

⮑ _____

어법 다음 괄호 안에서 알맞은 말을 고르고, 문장을 해석하시오.

6 Harry is a nice man [to talk to / to talk].

⮑ _____

7 The apron has no pockets [to put things / to put things in].

⮑ _____

🔒 **해석의 Key**

-thing으로 끝나는 부정대
명사를 형용사와 to부정사
가 동시에 꾸며줄 경우,
「-thing + 형용사 + to부정
사」 순으로 쓰고 역순으로
해석한다.

☐ **speech** 연설
☐ **subject** 주제
☐ **country** 나라, 국가
☐ **apron** 앞치마
☐ **pocket** 호주머니

Answer p.3

우리는   주의해야 했다   실수하지 않기 위해

We | had to be careful | not to make a mistake.

주어   동사   수식어구(to부정사구)

- to부정사는 동사, 형용사 등을 뒤에서 수식할 수 있다. 이때 to부정사(구)는 문맥에 따라 다음과 같이 해석한다.

목적 (~하기 위해)		감정의 원인 (~해서[하니])	결과 (그래서 결국 ~하다[되다])
판단의 근거 (~하다니, ~하는 것을 보니)	정도 (~하기에)		

어법   to부정사의 부정은 「not[never] + to부정사」로 나타내며, 어순에 주의해야 한다.

🔍 다음 밑줄 친 부분에 유의하여 문장을 해석하시오.

1 I went to the bank <u>to take out some money.</u>

↳

2 Magnus grew up <u>to be one of the best golfers in Canada.</u>

↳

3 I was surprised <u>to find</u> a snake in my backyard.

↳

4 You are foolish <u>to waste</u> your life.

↳

5 His emotions were difficult <u>to read.</u>

↳

🔒 **해석의 Key**

to부정사가 감정을 나타내는 형용사 뒤에 오면 '~해서[하니]'로 해석하고, 판단을 나타내는 형용사 뒤에 오면 '~하다니', '~하는 것을 보니'로 해석한다.

어법   다음 괄호 안에서 알맞은 말을 고르고, 문장을 해석하시오.

6 She ran away [not to get / to not get] caught by the police.

↳

7 He took off his shoes [not to make / to not make] any noise.

↳

□ **golfer** 골프 선수
□ **snake** 뱀
□ **backyard** 뒷마당
□ **foolish** 어리석은
□ **waste** 낭비하다
□ **emotion** 감정
□ **difficult** 어려운
□ **get caught** 잡히다

Answer p.4

네모
어법 **A** 다음 문장의 네모 안에서 어법상 알맞은 것을 고르시오.

01 The lady talking to her client on the phone | is / are | my sister.　↺ skill 05

02 She is walking on a path | covering / covered | with snow.　↺ skill 06

03 He had no real friends | to hang out / to hang out with |.　↺ skill 07

04 Try | not to get / to not get | your clothes dirty.　↺ skill 08

05 The man wearing a black suit | was / were | stylish.　↺ skill 05

보기
선택 **B** [01-05] 다음 빈칸에 알맞은 말을 보기 에서 골라 기호를 쓰시오. (한 번씩만 쓸 것)　↺ skill 05, 06

| 보기 | ⓐ used | ⓑ standing | ⓒ holding | ⓓ wearing | ⓔ bitten |

01 Alex goes to speak to a boy ＿＿＿＿＿＿ a baseball cap.

02 This is a machine ＿＿＿＿＿＿ to test drugs in a lab.

03 I saw a gentleman ＿＿＿＿＿＿ a microphone on the stage.

04 Isaac pointed to the tall man ＿＿＿＿＿＿ at the gate.

05 The spot ＿＿＿＿＿＿ by the mosquito is itching and swelling.

A client 고객　path 길　hang out 시간을 보내다　suit 정장
B bitten 물린　machine 기계　drug 약　lab 연구실　gentleman 신사　microphone 마이크　point to ~을 가리키다
gate 정문　spot 부위, 장소　mosquito 모기　itching 가려운　swelling 부풀어 오른

[06-10] 다음 문장에서 밑줄 친 부분의 의미를 보기 에서 골라 기호를 쓰시오. ⟳ skill 08

> 보기   ⓐ 목적   ⓑ 판단의 근거   ⓒ 감정의 원인   ⓓ 정도   ⓔ 결과

06 She raced to the vet's <u>to find her dog dead</u>.

07 We borrowed money <u>to buy the farm</u>.

08 I'm pleased <u>to announce the winners of the contest</u>.

09 I was silly <u>to make such a mistake again</u>.

10 The sidewalk is icy and dangerous <u>to walk on</u>.

해석완성 C 다음 문장에서 수식어구에 밑줄을 긋고, 우리말 해석을 완성하시오.

01 I found a piece of the letter burned by the fire. ⟳ skill 06

> 나는 _____.

02 Jenny stretched her arm to pick the flower. ⟳ skill 08

> Jenny는 _____.

03 She was disappointed not to have the chance. ⟳ skill 08

> 그녀는 _____.

04 He is careless to leave his car key in the car. ⟳ skill 08

> _____ 그는 부주의하다.

05 Smiling is the best way to attract people. ⟳ skill 07

> 미소는 _____.

B race 급히 가다, 경주하다   vet's 동물 병원   borrow 빌리다   farm 농장   announce 발표하다   silly 어리석은
mistake 실수   sidewalk 인도
C burn 태우다, 불에 타다   stretch 쭉 펴다, 늘이다   disappointed 실망한   careless 부주의한   attract 마음을 끌다

어순 배열 D 다음 우리말과 일치하도록 괄호 안의 말을 바르게 배열하시오.

01 의사와 이야기를 나누고 있는 어린 소년을 보아라.
(look at, the doctor, talking to, the young boy)　　　↳ skill 05

02 당신은 로봇에 의해 만들어진 초밥을 먹겠는가?
(you, made, sushi, would, eat, by a robot)　　　↳ skill 06

03 Miranda는 가지고 놀 많은 장난감을 갖고 있었다.
(to play with, a lot of, had, Miranda, toys)　　　↳ skill 07

04 우리는 그의 갑작스런 사망 소식을 들어서 깊은 충격에 빠졌다.
(we, deeply shocked, to hear of, were, his sudden death)　　　↳ skill 08

05 온라인 쇼핑을 할 때 신용카드는 사용하기에 편리하다.
(are, convenient, when shopping online, to use, credit cards)　　　↳ skill 08

D　sushi 초밥　shocked 충격에 빠진　sudden 갑작스러운　convenient 편리한　credit card 신용카드

관계사절
문장에서 명사를 수식하는 절

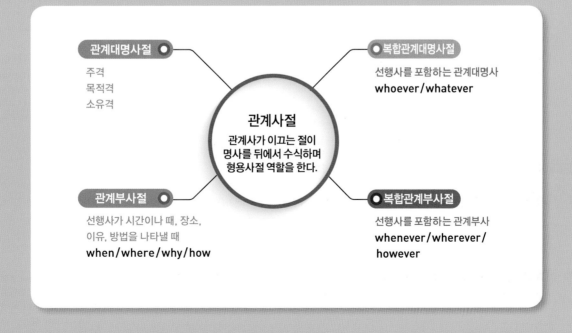

관계대명사절
주격
목적격
소유격

복합관계대명사절
선행사를 포함하는 관계대명사
whoever / whatever

관계사절
관계사가 이끄는 절이
명사를 뒤에서 수식하며
형용사절 역할을 한다.

관계부사절
선행사가 시간이나 때, 장소,
이유, 방법을 나타낼 때
when / where / why / how

복합관계부사절
선행사를 포함하는 관계부사
whenever / wherever /
however

나는 한 소녀를 좋아한다　　　　　　　　　　　　　항상 미소 짓는
I like a girl | who is always smiling.
선행사　　　　　　　　　　　　　　　주격 관계대명사절

- 주격 관계대명사(who, which, that)는 **관계사절의 주어 역할**을 하며, 주격 관계대명사절이 앞의 선행사를 수식할 때, **'관계대명사절한 선행사'**로 해석한다.

어법 주격 관계대명사절 내의 동사는 선행사의 인칭과 수에 일치시킨다.

🔍 다음 문장에서 관계대명사절을 찾아 밑줄을 긋고, 문장을 해석하시오.

1　The boy who lives next door is very friendly.

↪

2　I know a woman who is working in a foreign company.

↪

3　There is a cake which was made by me for my mother.

↪

4　I don't want a dog which sheds lots of hair.

↪

5　Did you know elephants are the only animal that can't jump?

↪

🔑 **해석의 Key**

선행사에 the only, the very, all, every, 최상급 형용사, 서수 등이 포함될 때는 관계대명사 that만 쓴다.

어법 다음 괄호 안에서 알맞은 말을 고르고, 문장을 해석하시오.

6　Look at the boy and his cat that [was / were] sleeping together.

↪

7　This is the only movie that [make / makes] me laugh.

↪

□ **next door** 옆집
□ **foreign** 외국의
□ **shed** 털이 빠지다
□ **hair** 털

목적격 관계대명사가 쓰인 문장 읽기

Kelly는 그 소녀이다   내가 이야기했던
Kelly is the girl | about whom I talked.
<u>선행사</u>   <u>목적격 관계대명사절</u>

• 목적격 관계대명사(whom, which, that)는 관계사절 내에서 **동사나 전치사의 목적어 역할**을 하며, 목적격 관계대명사 절이 앞의 선행사를 수식할 때, **'관계대명사절한 선행사'**로 해석한다.

어법 전치사의 목적어 역할을 하는 목적격 관계대명사는 관계절 내에 전치사가 반드시 있어야 하며, 전치사는 관계대명사 앞으로 이동시킬 수 있다.

🔍 다음 문장에서 관계대명사절을 찾아 밑줄을 긋고, 문장을 해석하시오.

1 There is a picture of a boy whom I have never met in my life.

⇨

2 She married the man whom she really loved.

⇨

🔒 **해석의 Key**
구어체에서는 목적격 관계 대명사 whom 대신에 who 를 쓰기도 한다.

3 It was the puppy which he had promised to bring home.

⇨

4 This is the first house that I built five years ago.

⇨

5 This is the very computer that I wanted to buy.

⇨

어법 다음 괄호 안에서 알맞은 말을 고르고, 문장을 해석하시오.

6 James is the man [whom / with whom] I went fishing last spring.

⇨

7 I need a bigger suitcase [which / into which] I can put all my stuff.

⇨

□ **puppy** 강아지
□ **promise** 약속하다
□ **go fishing** 낚시하러 가
다
□ **suitcase** 여행 가방
□ **stuff** 물건

Answer p.5

소녀가 (그녀의) 머리가 긴 기다리고 있었다 우리를

A girl | whose hair is long | waited for | us.
선행사 소유격 관계대명사절

• 소유격 관계대명사(whose, of which)는 **수식하는 선행사의 소유격 역할**을 하며, 소유격 관계대명사절이 앞의 선행사를 수식할 때, '**관계대명사절이 ~한 선행사**'로 해석한다.

어법 소유격 관계대명사가 쓰인 관계대명사절 내의 동사는 선행사에 수를 일치시키지 않고 관계대명사 뒤에 이어지는 명사에 수를 일치시키는 것에 주의해야 한다.

🔍 다음 문장에서 관계대명사절을 찾아 밑줄을 긋고, 문장을 해석하시오.

1 I know the boy whose father is a lawyer.

2 Is there any animal whose name begins with the letter "x"?

3 The number of people whose hobby is gardening is increasing.

4 She wants to get a sweater of which the color is black.

🔒 **해석의 Key**
of which는 문어체에서 주로 쓰인다.

5 He decided to adopt the girl whose name is Lucy.

어법 다음 괄호 안에서 알맞은 말을 고르고, 문장을 해석하시오.

6 I met a man whose sister [know / knows] me.

7 This is a newspaper whose readers [is / are] in the millions.

□ **lawyer** 변호사
□ **letter** 철자
□ **gardening** 정원 가꾸기
□ **adopt** 입양하다
□ **millions** 수백만의

Answer p.5

관계부사 when / where가 쓰인 문장 읽기

나는 기억한다　　　　그 날을　　　　　　내가 그를 처음 만난
I remember | the day | when I first met him.
선행사　　　　　　　　관계부사절

- 관계부사 when은 선행사가 the time, the day, the month 등 **시간이나 때를 나타낼 때** 사용하고, 관계부사 where 는 선행사가 the place, the city, the house 등 **장소를 나타낼 때** 사용한다. 관계부사절이 앞의 선행사를 수식할 때, **'관계부사절한 선행사'**로 해석한다.

어법 관계부사 where, when 등은 that으로 대신할 수 있다.

🔍 다음 문장에서 관계부사절을 찾아 밑줄을 긋고, 문장을 해석하시오.

1 This is the time when the cold winds blow.

⇨

2 June is the month when the summer heat starts.

⇨

3 I invite you to take a walk around the city where I live now.

⇨

4 Home is the place where kids spend most of their time.

⇨

5 My parents still live in the house where I grew up.

⇨

어법 다음 괄호 안에서 알맞은 말을 모두 고르고, 문장을 해석하시오.

6 She was born in the year [when / where / that] the war broke out.

⇨

7 This is the place [when / where / that] my fate happens.

⇨

- □ **blow** 불다
- □ **invite** 초대하다
- □ **grow up** 자라다
- □ **break out** 일어나다
- □ **fate** 운명

Answer p.5

관계부사 why / how가 쓰인 문장 읽기

이유가 있다   당신이 박물관에 방문해야만 하는

There is a reason | why you should visit the museum.
선행사   관계부사절

- 관계부사 **why**는 선행사가 **이유**를 나타낼 때 사용하고, **관계부사 how**는 선행사가 **방법**을 나타낼 때 사용한다. 관계부사절이 앞의 선행사를 수식할 때, '**관계부사절한 선행사**'로 해석한다.

  어법 관계부사 why는 for which로 바꿀 수 있고, 관계부사 how는 in which로 바꿀 수 있다.

🔍 다음 문장에서 관계부사절을 찾아 밑줄을 긋고, 문장을 해석하시오.

1 That is the reason why I oppose your opinion.

↪

2 There are some reasons why the vote is important.

↪

3 That is one reason why the relationship is unacceptable.

↪

4 I don't like how you are treating me.

↪

5 I love you just the way you are.

↪

🔒 **해석의 Key**

관계부사 how와 the way 는 함께 쓰지 않고, 둘 중 하나만 써야 한다.

어법 다음 괄호 안에서 알맞은 말을 고르고, 문장을 해석하시오.

6 One reason [for / in] which I like the beach is the sound of breaking waves.

↪

7 You do it the way [for / in] which you want to.

↪

☐ **oppose** 반대하다
☐ **vote** 투표
☐ **unacceptable** 받아들일 수 없는
☐ **treat** 다루다
☐ **wave** 파도

Answer p.6

콤마(,) 다음에 관계사가 쓰인 문장 읽기

그 음식은 야채를 포함하고 있는데   그는 (그것을) 좋아하지 않는다

The food contains vegetables, | which he does not like.

관계대명사절

- 콤마(,) 다음에 쓰인 관계사는 계속적 용법의 관계사로 **선행사를 보충 설명**하고 who, which, when, where가 가능하며 문맥에 따라 '…인데, (그는) 그것은[그것을] ~하다'처럼 순차적으로 해석한다.

  어법 관계대명사 which는 앞 문장 전체나 일부를 선행사로 취할 수 있다.

🔍 다음 밑줄 친 부분에 유의하여 문장을 해석하시오.

1   John has a son, <u>who became an engineer.</u>

⇨

2   I threw her a towel, <u>which she caught quickly.</u>

⇨

3   Monica wanted to meet Robert at 5, <u>when he was not in his office.</u>

⇨

4   I visited my grandfather's house, <u>where I spent winter vacation.</u>

⇨

5   He is a trained pilot, <u>who has been flying for more than 38 years.</u>

⇨

어법 다음 문장에서 which의 선행사가 무엇에 해당하는지 고르고, 문장을 해석하시오.

6   He played the harmonica really well, which made me surprised.

[일부 / 앞 문장 전체]

⇨

7   It was too dark, which means they didn't see us. [일부 / 앞 문장 전체]

⇨

□ engineer 기술자
□ throw 던지다
□ catch 잡다
□ vacation 방학
□ pilot 조종사

Answer p.6

관계사가 생략된 문장 읽기

나는 지갑을 잃어 버렸다   아버지가 나에게 사 주신

I lost the wallet | (which) my father bought for me.

선행사   관계사절

- 동사나 전치사의 목적어로 쓰인 **목적격 관계대명사, 관계부사(when, where, why)**는 생략할 수 있으며, '관계사절한 선행사'로 해석한다.

> **어법** 「주격관계대명사 + be동사」가 생략되어 be동사 뒤의 형태가 선행사를 직접 부연 설명할 수 있다. 하지만 주격관계대명사 는 생략할 수 없다.

🔍 다음 밑줄 친 부분에 유의하여 문장을 해석하시오.

1 This is the boy <u>I saw on the bus.</u>

> ⤷

2 This is the work <u>I need your help with.</u>🔑

> ⤷

🔒 **해석의 Key**

목적격 관계대명사 which 가 생략된 것이므로 전치 사 with는 반드시 관계사 절 끝에 위치시켜야 한다.

3 There was a time <u>flowers were blooming here.</u>

> ⤷

4 This is the place <u>my mother was born.</u>

> ⤷

5 The reasons <u>this has not happened</u> are political and financial.

> ⤷

> **어법** 다음 문장에서 생략 가능한 부분에 밑줄을 긋고, 문장을 해석하시오.

6 I will give you a book which is written in German.

> ⤷

7 I worry about the safety of the children who are playing on the street.

> ⤷

□ **bloom** 꽃이 피다
□ **political** 정치적인
□ **financial** 재정적인
□ **German** 독일어
□ **safety** 안전

           Answer p.6

당신이 무엇을 하든

나는 당신과 함께 있을 거예요

Whatever[Anything that] you do, | I will be with you.

복합관계대명사절

• 복합관계대명사(whoever, whatever)는 선행사를 포함하는 관계대명사로 명사절과 양보의 부사절로 쓰인다. 복합관계대명사가 명사절인 경우에는 '~든(지), ~하는 누구나, ~하는 무엇이나'정도로 해석하고 부사절인 경우에는 문맥에 따라 '누가 ~할지라도, 무엇을[이] ~할지라도'로 해석한다.

어법 복합관계대명사 whoever는 anyone who(명사절), no matter who(양보의 부사절)로, whatever는 anything that(명사절), no matter what(양보의 부사절)으로 바꿀 수 있다.

🔍 다음 밑줄 친 부분에 유의하여 문장을 해석하시오.

1 Whoever he is, I don't care.

   ⇨

2 Whoever breaks this law shall be punished.

   ⇨

3 Whoever did this was obviously a professional.

   ⇨

4 I can pretty much do whatever I want.

   ⇨

🔒 **해석의 Key**

whatever는 동사 do의 목적어로 명사절이며 anything that으로 바꿀 수 있다.

5 Whatever happens, don't let me down.

   ⇨

어법 다음 괄호 안에서 알맞은 말을 고르고, 문장을 해석하시오.

6 Anyone [who / whoever] wants the book may have it.

   ⇨

7 No matter [what / whatever] you say, I'm not interested.

   ⇨

☐ care 신경을 쓰다
☐ punish 처벌하다
☐ obviously 분명히
☐ professional 전문적인
☐ let~down ~을 실망시키다

Answer p.6

우리는 이야기할 수 있다   네가 원하는 때 언제든지

We can talk | whenever you want.

복합관계부사절

- 복합관계부사(whenever, wherever, however)는 선행사를 포함하는 관계부사로 시간·장소의 부사절과 양보의 부사절로 쓰인다. 복합관계부사가 시간·장소의 부사절인 경우에는 '~할 때마다, ~하는 어디에나'로 해석하고 양보의 부사절인 경우에는 문맥에 따라 '언제 ~해도, 어디에서 ~해도, 아무리~해도'로 해석한다.

  어법 '아무리 ~해도'의 의미인 however는 「however + 형용사[부사] + 주어 + 동사」의 어순으로 쓰이며 양보의 부사절에만 사용된다.

Q 다음 밑줄 친 부분에 유의하여 문장을 해석하시오.

1 You can visit me <u>whenever you want</u>.

    ▷

2 Be careful <u>whenever you share something online</u>.

    ▷

3 Please take me with you <u>wherever you go</u>.

    ▷

🔑 **해석의 Key**
wherever는 장소의 부사절이며 *at any place where*로 바꿀 수 있다.

4 She was warmly received <u>wherever she went</u>.

    ▷

5 <u>However hard she tried</u>, nothing seemed to work.

    ▷

어법 다음 괄호 안에서 알맞은 말을 고르고, 문장을 해석하시오.

6 [Whenever / However] hard the work is, I have to finish it.

    ▷

☐ **share** 공유하다
☐ **warmly** 따뜻하게
☐ **receive** 받다
☐ **stay** 머무르다
☐ **spend** (시간 등을) 보내다
☐ **comfortable** 편안한

7 [Wherever / However] busy I am, I always spend time with my family.

    ▷

Answer p.6

CHAPTER

03 **Exercise**

A 다음 문장의 네모 안에서 어법상 알맞은 것을 고르시오.

01 He is the man who own / owns this store.　↷ skill 09

02 This is the town when / where life started for me.　↷ skill 12

03 You want my help, which / that means you trust me.　↷ skill 14

04 No matter what / whatever someone tells you, just always be yourself.

↷ skill 16

05 Whenever / However expensive it may be, I'll buy that old car.　↷ skill 17

B 다음 문장에서 밑줄 친 부분의 쓰임을 보기 에서 골라 기호를 쓰시오.　↷ skill 09, 10, 12, 13, 14

보기　　ⓐ 관계대명사절　　ⓑ 관계부사절

01 This is the last chance that I'm giving you.

02 This is the theater where famous comedians come out.

03 Jackson is a singer who plays the electric violin.

04 He tried to hide the problem from me, which made matters worse.

05 That's the reason why it's difficult for me to talk to people.

A own 소유하다　mean 의미하다　trust 신뢰하다　expensive 비싼
B comedian 코미디언　come out 나오다　electric 전기의

해석
완성 **C** 다음 문장에서 관계사절에 밑줄을 긋고, 우리말 해석을 완성하시오.

01 I had a tomato spaghetti that was good but not amazing. ⟳ skill 09

나는 _____.

02 He kept apologizing, which made me more embarrassed. ⟳ skill 14

그는 _____.

03 There was a village where there are traditional houses. ⟳ skill 12

전통적인 _____.

04 Whatever you may say, they will not change their minds. ⟳ skill 16

당신이 _____.

어순
배열 **D** 다음 우리말과 일치하도록 괄호 안의 말을 바르게 배열하시오.

01 나는 어머니가 유명한 정치인인 친구가 있다.
(whose, is, I, have, a friend, a famous politician, mother) ⟳ skill 11

02 미술관에 걸려 있던 그림을 도난당했다.
(in the gallery, hanging, the painting, stolen, was) ⟳ skill 15

03 기술은 사람들이 정보에 접근하는 방식을 바꾸어 왔다.
(technology, access, information, has changed, the way, people) ⟳ skill 13

04 아이가 있는 사람은 누구나 내가 무엇에 관해 말하는지 안다.
(knows, what, whoever, a child, I'm talking, about, has) ⟳ skill 16

C embarrassed 당황스러운 **village** 마을 **traditional** 전통적인
D **politician** 정치인 **gallery** 미술관 **technology** 기술 **access** 접근하다, 접속하다

CHAPTER 04

주어
문장의 구성 요소 ①

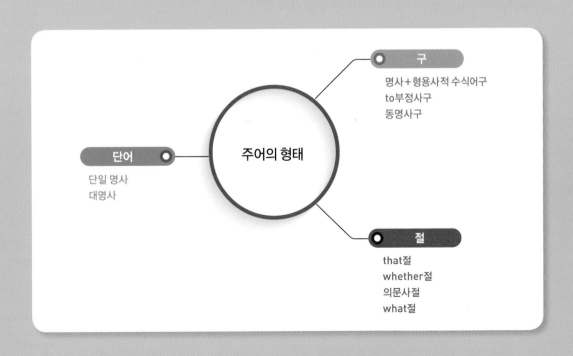

구
명사 + 형용사적 수식어구
to부정사구
동명사구

주어의 형태

단어
단일 명사
대명사

절
that절
whether절
의문사절
what절

어휘를 배우는 최고의 방법은　　　　　　　　　　　　　　　책을 읽는 것이다

The best way [to learn vocabulary] | is to read books.
　　　주어　　　　　　　　수식어구(to부정사구)　　　　　동사

- 주어는 「명사＋수식어구」의 형태가 되어 길어질 수 있다. 이때 형용사(구), 전치사구, to부정사구, 분사구, 관계사절 등이 **명사를 수식**할 수 있다. 수식어구가 와서 주어가 길어진 경우, 문장 전체의 동사를 찾아서 그 앞까지를 주어로 이해한다.

어법 주어에서 수식을 받는 명사와 문장 전체의 동사의 수는 반드시 일치시켜야 한다.

🔍 다음 문장에서 주어를 수식하는 말에 밑줄을 긋고, 문장을 해석하시오.

1　There are many historic sites to see in this ancient city.

　↪

2　The trees along the street are dangerous to vehicles.

　↪

3　The man sitting next to you on the plane was very rude.

　↪

4　Good habits formed as a child make all the difference.

　↪

5　The jungles where wild animals live are slowly becoming deserts.

　↪

🔑 **해석의 Key**
명사 뒤에 관계사가 나오면, 두 번째 동사 앞까지를 주어로 이해한다.

어법 다음 괄호 안에서 알맞은 말을 고르고, 문장을 해석하시오.

6　The bus which goes to the subway station [has / have] not come yet.

　↪

7　People in very stressful situations often [behaves / behave] strangely.

　↪

- [ ] historic site 유적지
- [ ] ancient 고대의
- [ ] vehicle 차량, 탈것
- [ ] form 형성하다
- [ ] make all the difference 중요한 영향을 미치다
- [ ] desert 사막
- [ ] stressful 스트레스가 많은
- [ ] situation 상황
- [ ] behave 행동하다

Answer p.7

명사절이 주어인 문장 읽기 (1)

교사가 자신의 학생들을 돌봐야만 한다는 것은   분명하다

That teachers must care for their students | is obvious.
주어(that절)   동사

- 접속사 that이나 whether가 이끄는 명사절은 주어 자리에 올 수 있다. **that절 주어**는 '~하다는[라는] 것은'으로 해석하며, **whether절 주어**는 '~인지 아닌지는'으로 해석한다.

  [어법] 접속사 that과 whether가 이끄는 절은 문장 성분이 모두 갖춰진 완벽한 절이며, 주어로 쓰일 경우 항상 단수 취급한다.

🔍 다음 문장에서 주어와 동사 사이에 / 표시하고, 문장을 해석하시오.

🔑 **해석의 Key**

that이나 whether로 시작하는 문장의 경우, 두 번째 동사 앞까지를 주어로 이해한다.

1 That we should learn lessons from our failures is important.

2 That most people resist change discourages leaders sometimes.

3 That we need to make plans for a better future is true.

4 Whether the new medicine is safe is not sure.

5 Whether you will get promoted or not is all up to you.

[어법] 다음 괄호 안에서 알맞은 말을 고르고, 문장을 해석하시오.

6 [That / What] he still has feelings for you is obvious.

7 Whether they will accept our offer [is / are] uncertain.

□ **failure** 실패
□ **resist** 저항하다
□ **discourage** 낙담시키다
□ **get promoted** 승진하다
□ **be up to** ~에 달려 있다
□ **obvious** 분명한
□ **accept** 받아들이다
□ **offer** 제안
□ **uncertain** 불확실한

왜 그 기계가 고장 났는지는   수수께끼이다

Why the machine broke down │ is a mystery.
주어(의문사절)   동사

- 의문사나 관계대명사 what이 이끄는 명사절은 주어 자리에 올 수 있다. **의문사절 주어**는 '**누가[무엇이, 어떤 것이, 언제, 어디서, 왜, 어떻게] ~인지**'로 해석하며, **what절 주어**는 '**~하는 것은**'으로 해석한다.

  [어법] 의문사절 안에서 who, what, which는 명사 역할을 하는 반면, when, where, why, how는 부사 역할을 한다. 관계대명사 what은 절 안에서 명사 역할을 한다.

🔍 다음 문장에서 주어와 동사 사이에 / 표시하고, 문장을 해석하시오.

1 Who they would choose as their leader was an important issue.

⇨

2 How they built these great pyramids is still a mystery.

⇨

3 What is right and wrong depends on the views of people.

⇨

4 What bothers me most is your response to my opinion.

⇨

5 What I'd like to get for my graduation gift is a digital camera.

⇨

🔒 **해석의 Key**

의문사나 관계대명사 what으로 시작하는 문장의 경우, 두 번째 동사 앞까지를 주어로 이해한다.

[어법] 다음 괄호 안에서 알맞은 말을 고르고, 문장을 해석하시오.

6 [Where / What] we will stay one night doesn't matter.

⇨

7 [What / Why] I like about you is your ability to make me laugh.

⇨

□ **issue** 문제
□ **mystery** 수수께끼
□ **depend on** ~에 달려 있다
□ **view** 관점, 견해
□ **bother** 괴롭히다
□ **response** 반응
□ **graduation** 졸업
□ **matter** 중요하다
□ **ability** 능력

Answer p.8

어렵다　　　　　　내가　　　　　　　　당신의 이름을 발음하는 것은
It is hard | for me | to pronounce your name.
가주어　　　　　　to부정사의 의미상 주어　　　　　　진주어(to부정사구)

- to부정사구나 that절이 주어로 쓰이는 경우, 보통 주어 자리에 가주어 it을 쓰고 진주어인 to부정사구나 that절은 뒤로 보낸다. 가주어 it 자리에 진주어를 넣어 해석한다.

어법 to부정사의 의미상 주어는 「for[of] + 명사」로 나타낸다. 보통 for를 사용하지만, 사람의 성격·태도를 나타내는 형용사 뒤에서는 of를 쓴다.

🔍 다음 문장에서 진주어에 밑줄을 긋고, 문장을 해석하시오.

1 It is my duty to stay here with you and fight beside you.

⇨

2 It is dangerous for you to talk on the phone while you're driving.

⇨

3 It is careless of him to lose important documents.

⇨

4 It is true that the pen is more powerful than the sword.

⇨

5 It is surprising that no one has thought of it before.

⇨

🔒 **해석의 Key**

to부정사 앞에 「for + 명사」가 오면 '명사가 to부정사하는 것은 ~하다'로 해석하고, 「of + 명사」가 오면 'to부정사하다니 명사는 ~하다'로 해석한다.

어법 다음 괄호 안에서 알맞은 말을 고르고, 문장을 해석하시오.

6 It is useful [of / for] you to write a shopping list in advance.

⇨

7 It is wise [for / of] him to make such a decision.

⇨

□ **duty** 의무
□ **careless** 부주의한
□ **document** 서류, 문서
□ **sword** 칼, 검
□ **useful** 유용한
□ **in advance** 미리, 먼저
□ **decision** 결정

Answer p.8

Exercise

네모 어법 A 다음 문장의 네모 안에서 어법상 알맞은 것을 고르시오.

01 The man holding the briefcase is / are approaching me. ↻ skill 18

02 That / What nobody knows the news is strange. ↻ skill 19

03 Whom / How she will meet at the party is not clear. ↻ skill 20

04 Why / What is necessary is not always enough. ↻ skill 20

05 It is careless of / for you to forget to bring your umbrella. ↻ skill 21

보기 선택 B [01-05] 다음 문장에서 밑줄 친 부분의 쓰임을 보기 에서 골라 기호를 쓰시오. ↻ skill 18, 21

보기 ⓐ 주어 ⓑ 수식어

01 The next thing to do is to fix the date of the meeting.

02 It is cruel of you to deceive her in this way.

03 The first man to reach the South Pole was Roald Amundsen.

04 It is impossible to cross the ocean by swimming.

05 It is important for you to look into your feelings.

A briefcase 서류 가방 approach 접근하다 clear 분명한 necessary 필요한, 필수적인
B fix 정하다, 수리하다 cruel 잔인한 deceive 속이다 reach 도착[도달]하다 South Pole 남극 impossible 불가능한

[06-10] 다음 문장에서 밑줄 친 부분의 쓰임을 보기 에서 골라 기호를 쓰시오. ↻ skill 18, 19, 20

보기   ⓐ 명사절   ⓑ 형용사절   ⓒ 부사절

06 <u>Whether she agrees with our beliefs</u> does not matter.

07 <u>When I was a little boy</u>, I often went to the woods to rest.

08 <u>What will happen tomorrow</u> cannot be predicted.

09 The man <u>who lives in India</u> has magical powers.

10 <u>When he will leave the country</u> has not been decided yet.

해석 완성 **C**   다음 문장에서 주어에 밑줄을 긋고, 우리말 해석을 완성하시오.

01 There is lots of evidence to support his theory.   ↻ skill 18

⮩ 그의 이론을 _____.

02 That camels live without water for a long time is possible.   ↻ skill 19

⮩ 낙타가 _____.

03 Whether you believe him or not is up to you.   ↻ skill 19

⮩ _____ 당신에게 달려 있다.

04 What you say and how you behave affect your life.   ↻ skill 20

⮩ _____ 당신의 삶에 영향을 미친다.

05 It is silly of you to go out in such a heavy rain.   ↻ skill 21

⮩ _____ 당신은 바보 같다.

B belief 믿음   woods 숲   rest 쉬다   predict 예측하다   magical 마술적인, 마법의   decide 결정하다
C evidence 증거   support 뒷받침하다   theory 이론, 학설   camel 낙타   possible 가능한   believe 믿다
affect 영향을 미치다   silly 바보 같은, 어리석은

어순
배열 **D** 다음 우리말과 일치하도록 괄호 안의 말을 바르게 배열하시오.

01 오늘 아침에 일어난 사고는 끔찍했다.
(this morning, that, horrible, happened, was, the accident)   ↻ skill 18

02 고등학교 교육이 무상이어야 하는지가 오늘의 주제이다.
(is, high school education, whether, today's topic, be free, should)   ↻ skill 19

03 그가 그 상황을 어떻게 처리했는가가 의문이다.
(how, dealt with, he, the situation, the question, is)   ↻ skill 20

04 청각 장애 아동들을 위해 지어진 학교가 마침내 개교했다.
(finally open, deaf children, is, built for, the school)   ↻ skill 18

05 많은 국가의 경찰들이 총기를 갖고 다닌다는 것은 사실이다.
(that, carry, the police in many countries, guns, is true)   ↻ skill 21

It _____ .

D horrible 끔찍한   education 교육   topic 주제   deal with ~를 처리하다[다루다]   deaf 청각 장애가 있는
carry 가지고 다니다, 운반하다   gun 총기

CHAPTER
05

목적어
문장의 구성 요소 ②

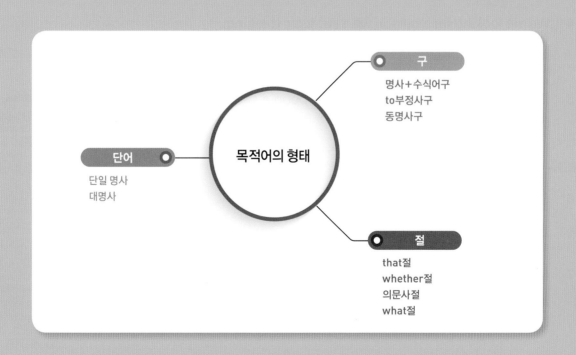

구
명사 + 수식어구
to부정사구
동명사구

단어
단일 명사
대명사

목적어의 형태

절
that절
whether절
의문사절
what절

목적어가 수식을 받아 길어진 문장 읽기

우리는 살 필요가 있다   어떤 것을   욕실에서 사용할

We need to buy | something | to use in the bathroom.
주어   동사구   목적어   수식어구

- 문장의 목적어는 to부정사구, 현재분사구, 과거분사구, 부사구, 관계사절 등의 수식을 받아 길어질 수 있다. 문맥에 따라 **'수식어구에 의한 목적어'**로 해석한다.

  어법 현재분사구와 과거분사구가 목적어를 수식하는 경우에는 목적어와의 관계가 능동이면 현재분사구를, 목적어와의 관계가 수동이면 과거분사구를 사용한다.

🔍 다음 밑줄 친 부분에 유의하여 문장을 해석하시오.

1   He made a promise <u>to get the matter resolved</u>.

2   I have met the boy <u>singing in the road</u> before.

3   He found the old man <u>surrounded by all the animals</u>.

4   We are looking for a person <u>with strategic thinking</u>.

5   Don't trust people <u>who tell you other people's secrets</u>.

어법 다음 괄호 안에서 알맞은 말을 고르고, 문장을 해석하시오.

6   I knew the girl [smiling / smiled] at me very sweetly.

7   Many people visit to climb the mountain [covering / covered] in red autumn leaves.

🔒 **해석의 Key**

주격 관계대명사절의 동사는 선행사와 수를 일치시키므로 선행사 people에 수를 일치시키기 위해 복수 동사 tell을 썼다.

☐ **promise** 약속하다
☐ **resolve** 해결하다
☐ **strategic** 전략적인
☐ **secret** 비밀
☐ **autumn** 가을

Answer p.9

명사절이 목적어인 문장 읽기 (1)

나는 알았다　　　　　　　　그 이야기가 사실이라는 것을
I knew | that the story was true.
주어　　동사　　　　　　　　　　　목적어(that절)

- that절과 whether절이 명사절 역할을 하며 문장의 **목적어**로 쓰일 수 있다. that절이 목적어인 경우에는 '~라는 것을, ~하기를, ~하다고' 등으로 해석하고 whether절이 목적어인 경우에는 '~인지를, ~인지 아닌지' 등으로 해석한다.

　어법 that절이 목적어로 쓰인 경우에는 뒤에 확정된 사실이나 의견이 나오고 whether절이 목적어로 쓰인 경우에는 뒤에 불확실한 사실이나 의견이 나온다.

🔍 다음 문장에서 목적어를 찾아 밑줄을 긋고, 문장을 해석하시오.

1 We believe that good luck is something you can make.

　⤷

2 I think that the first step is always the hardest.

　⤷

3 I heard that you were working as a book store clerk.

　⤷

4 I wonder whether the next meeting will be in Seattle.

　⤷

5 Time will tell whether it is beneficial for consumers.

　⤷

어법 다음 괄호 안에서 알맞은 말을 고르고, 문장을 해석하시오.

6 I understand [that / whether] you don't want to talk to me.

　⤷

7 We must consider [that / whether] it is false or not.

　⤷

□ luck 행운
□ clerk 점원
□ beneficial 이로운, 유익한
□ consumer 소비자
□ false 틀린, 잘못된

Answer p.9

명사절이 목적어인 문장 읽기 (2)

아무도 알지 못한다   그 사건이 어떻게 일어났는지
No one knows | how the accident happened.
주어   동사   목적어(의문사절)

- 의문사가 이끄는 절과 관계대명사 what절은 명사절의 역할을 하며 **목적어**로 쓰일 수 있다. 의문사절은 의문사의 의미에 따라 '~인가, ~인지'로 해석하고 관계대명사 what절은 '~하는 것'으로 해석한다.
  어법 의문사절이 문장의 목적어인 경우에는 「의문사 + 주어 + 동사 ~」의 형태로 쓴다.

🔍 다음 밑줄 친 부분에 유의하여 문장을 해석하시오.

1 I discovered how he finished his work so fast.

↳

2 My mother uses her smartphone to remember where she parks her car.

↳

3 Let me explain why the party should be on your wish list.

↳

4 Do you understand what I'm saying?

↳

5 I didn't have much money, but I gave them what I had.

↳

> 🔒 **해석의 Key**
> 관계대명사 what은 선행사를 포함하고, 뒤에 목적어가 없는 불완전한 문장이 왔으므로 목적격 관계대명사이다.

어법 다음 괄호 안에서 알맞은 말을 고르고, 문장을 해석하시오.

6 I don't know [what you mean / what mean you].

↳

7 We tend to believe only [what we want / what want we] to believe.

↳

□ **discover** 발견하다
□ **park** 주차하다
□ **list** 목록
□ **explain** 설명하다
□ **believe** 믿다

Answer p.9

가목적어 it이 쓰인 문장 읽기

나는 (~이) 어렵다는 것을 알았다				나의 상한 마음을 극복하는 것이

I | found | it | hard | to get over my broken heart.

주어　　　동사　　　가목적어　목적격 보어　　　　　　　　　진목적어

- 5형식 문장에서 to부정사구가 목적어인 경우, 진목적어인 to부정사구를 뒤로 보내고 **가목적어 it**을 써서 표현한다. 가목적어 it자리에 진목적어의 내용을 넣어 해석한다.

  어법 to부정사구가 진목적어가 되어 가목적어 it을 사용하는 경우, 「주어 + 동사 + it + 목적격 보어 + to부정사」의 형태로 나타낸다.

🔍 다음 문장에서 진목적어를 찾아 밑줄을 긋고, 문장을 해석하시오.

1 The smoke made it hard to see each other.

2 We consider it important to only share relevant information.

3 I found it convenient to use the subway to get to the airport.

4 Simple language makes it easier to understand.

5 I think it polite to apologize after bumping into someone.

어법 다음 괄호 안에서 알맞은 말을 고르고, 문장을 해석하시오.

6 Heavy fog makes [it / that] difficult to see more than a few meters.

7 Many consider it [rude / rudely] to openly disagree in public.

□ **praise** 칭찬
□ **consider** (~로)여기다, 생각하다
□ **relevant** 관련있는
□ **convenient** 편리한
□ **apologize** 사과하다
□ **bump into** ~와 부딪히다
□ **public** 일반 사람들, 대중

Exercise

A 다음 문장의 네모 안에서 어법상 알맞은 것을 고르시오.

01 She saw the flowers delivering / delivered to the door. ↻ skill 22

02 He read the letter saying / said his pension would be cut. ↻ skill 22

03 I think whether / that all the tickets will be sold by now. ↻ skill 23

04 I don't know why I was chosen / why was chosen I . ↻ skill 24

05 I found it / that hard to get my body to recover. ↻ skill 25

B [01-05] 다음 문장에서 밑줄 친 부분의 쓰임을 보기 에서 골라 기호를 쓰시오. ↻ skill 22, 23, 24, 25

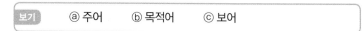

보기   ⓐ 주어   ⓑ 목적어   ⓒ 보어

01 Pedestrians stop to read <u>a notice</u> in the window of the closed store.

02 See first <u>whether you can introduce any new ideas</u>.

03 This is <u>what I wanted to buy</u> when I retired.

04 We think it polite <u>to maintain eye contact</u> while talking with others.

05 <u>What matters</u> is that we should do what we like.

A deliver 배달하다   pension 연금   pick 선발하다   recover 회복하다
B pedestrian 보행자   notice 공고문, 안내문   retire 은퇴하다   maintain 유지하다   matter 중요하다, 문제가 되다

[06-10] 다음 문장에서 밑줄 친 부분의 쓰임을 보기 에서 골라 기호를 쓰시오.   ↻ skill 22, 23, 24

보기   ⓐ 명사절   ⓑ 형용사절

06 She asked me <u>whether I was interested in working for her.</u>

07 Do you know the girl <u>who is walking in the rain?</u>

08 I appreciate <u>what you did for us today.</u>

09 Do you suppose <u>that Gillian will marry him?</u>

10 We focus on the talents <u>that are known to us only through commercial media.</u>

해석 완성 **C**   다음 문장에서 목적어(수식어구 포함)를 찾아 밑줄을 긋고, 우리말 해석을 완성하시오.

01 I like the movies that she used to watch.   ↻ skill 22

  ⟳ 나는 _____ 좋아한다.

02 I still believe that people are fundamentally good.   ↻ skill 23

  ⟳ 나는 여전히 _____ 믿는다.

03 He doesn't know whether they were invited.   ↻ skill 23

  ⟳ 그는 _____ 알지 못한다.

04 The letter showed clearly what they were planning.   ↻ skill 24

  ⟳ 그 편지는 _____ 명확하게 보여주었다.

05 People from India consider it rude to point with a finger.   ↻ skill 25

  ⟳ 인도 사람들은 _____ 무례하게 여긴다.

B   appreciate 감사하다   suppose 가정하다   commercial 상업의
C   used to ~하곤 하다   fundamentally 근본적으로   plan 계획하다

어순배열 D 다음 우리말과 일치하도록 괄호 안의 말을 바르게 배열하시오.

01 나는 웃음으로 가득찬 방에 들어갔다.
(filled with laughter, I, the room, entered)   ↻ skill 22

02 그는 Melanie가 대학에 다니지 않았다는 것을 알아차리지 못했다.
(he, college, realize, that, didn't, hadn't, been, Melanie, to)   ↻ skill 23

03 내가 하는 것이 아니라 내가 말한 것을 해라.
(I say, do, what, what, not, I do)   ↻ skill 24

04 나는 내 돈이 언제 환불될 것인지 궁금하다.
(will, I, be refunded, when, wonder, my money)   ↻ skill 24

05 일부 은행들은 계좌를 개설하는 것을 어렵게 했다.
(some banks, an account, make, it, to open, difficult)   ↻ skill 25

D enter 들어가다 **realize** 알아차리다 **refund** 환불하다 **wonder** 궁금하다 **account** 계좌 **bank** 은행

CHAPTER 06

보어
문장의 구성 요소 ③

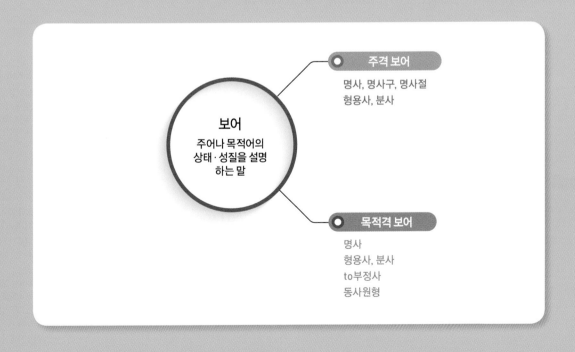

보어
주어나 목적어의
상태·성질을 설명
하는 말

주격 보어
명사, 명사구, 명사절
형용사, 분사

목적격 보어
명사
형용사, 분사
to부정사
동사원형

명사구가 주격 보어인 문장 읽기

나의 진정한 바람은   이다   좋은 부모가 되는 것

My real wish | is | to be a good parent.
주어   동사   주격 보어(to부정사구)

• 주격 보어는 주어의 상태 · 성질을 보충 설명해주는 말로, **동명사(구)**나 **to부정사(구)**가 be동사 뒤에 나와서 **주격 보어**로 쓰이면 '~하는 것', '~하기'로 해석한다.

어법 주격 보어로 동명사(구)나 to부정사(구)가 쓰이는 경우, 서로 의미의 차이가 없어 둘 다 사용할 수 있다.

Q 다음 밑줄 친 부분에 유의하여 문장을 해석하시오.

1 My plan is <u>to stay one more night at the hotel.</u>

⇨

2 Our mission was <u>to find signs of life on the planet.</u>

⇨

3 My goal is <u>running my own restaurant before I'm 30.</u>

⇨

4 The role of the police is <u>maintaining the social order.</u>

⇨

5 The important thing is <u>not stopping questioning.</u>

⇨

🔑 **해석의 Key**

동명사나 to부정사의 부정은 바로 앞에 not이나 never를 두어 표현하며, '~하지 않는 것'으로 해석한다.

어법 다음 괄호 안에서 알맞은 말을 모두 고르고, 문장을 해석하시오.

6 The way to take up a hobby is [to try / trying / tried] something new.

⇨

7 Erasing your mistakes is [to erase / erasing / erased] your wisdom.

⇨

□ **mission** 임무
□ **sign** 흔적, 표시
□ **run** 운영하다
□ **maintain** 유지하다
□ **order** 질서
□ **questioning** 질문하기
□ **take up a hobby** 취미를 갖다
□ **erase** 지우다
□ **wisdom** 지혜

Answer p.11

나의 유일한 관심은 이다 그것이 합법적인 것인지 아닌지
My only concern | is | whether it is legal.
주어 동사 주격 보어(whether절)

- **that**절이 be동사 뒤에 나와서 **주격 보어**로 쓰이면 '~하다는[라는] 것'으로 해석한다.
- **whether**절이 be동사 뒤에 나와서 **주격 보어**로 쓰이면 '~인지 (아닌지)'로 해석한다.

어법 접속사 that 또는 whether 뒤에는 문장 성분을 모두 갖춘 완전한 절이 이어지는 반면, 관계대명사 뒤에는 문장 성분이 빠진 불완전한 절이 이어진다.

🔍 다음 문장에서 주격 보어에 밑줄을 긋고, 문장을 해석하시오.

1 My wish is that all my grandchildren will live happier lives.

2 The irony is that when he finally got the job, he didn't like it.

> **🔒 해석의 Key**
> that은 보어로 쓰인 명사절을 이끄는 접속사이고, when은 that절 안의 부사절을 이끄는 접속사이다.

3 The problem is that people waste so much energy resources.

4 The question is whether robots can sense human thought.

5 Today's topic is whether boys and girls should go to separate schools.

어법 다음 괄호 안에서 알맞은 말을 고르고, 문장을 해석하시오.

6 The truth is [that / what] teamwork is the important part of the business.

7 The main point is [what / whether] the man was there at that time.

> ☐ **grandchild** 손자 (pl. grandchildren)
> ☐ **irony** 아이러니, 역설적인 일
> ☐ **resource** 자원
> ☐ **sense** 감지하다
> ☐ **thought** 생각
> ☐ **separate** 서로 다른
> ☐ **teamwork** 팀워크, 협동 작업
> ☐ **main** 중요한, 주된

Answer p.11

063

명사절이 주격 보어인 문장 읽기 (2)

다른 사람들을 위해 요리하는 것이　　　이다　　　나를 행복하게 만드는 것
Cooking for others | is | what makes me happy.
주어　　　　　　　　동사　　　　　주격 보어(what절)

- **의문사절**이 be동사 뒤에 나와서 **주격 보어**로 쓰이면 의문사의 의미에 맞게 '~인지[인가]'로 해석한다.
- **관계대명사 what절**이 be동사 뒤에 나와서 **주격 보어**로 쓰이면 '~하는 것'으로 해석한다.

어법 보통 의문사절은 「의문사＋주어＋동사 ~」의 어순이다. 단, 절 안에서 의문사 who, what, which가 주어로 쓰일 경우 「의문사＋동사 ~」의 어순이다.

🔍 다음 밑줄 친 부분에 유의하여 문장을 해석하시오.

1　The question is <u>when I am going to tell Dad the news</u>.

2　The important thing is <u>who turns ideas into products</u>.

3　This is not <u>what I lent you the other day</u>.

4　Having a conversation with my family is <u>what makes me happy</u>.

5　Romance novels are <u>what he enjoys writing in his free time</u>.

어법 다음 괄호 안에서 알맞은 말을 고르고, 문장을 해석하시오.

6　The point is [how she dealt / how dealt she] with such a situation.

7　The problem was [what I should do / what should I do] for a living.

□ **turn A into B** A를 B로 바꾸다
□ **product** 제품
□ **the other day** 며칠 전에
□ **conversation** 대화
□ **novel** 소설
□ **deal with** ~에 대처하다
□ **situation** 상황
□ **living** 생계, 생활비

Answer p.11

분사가 주격 보어인 문장 읽기

그는　　있다　　　매우 관심이　　　　　　　　철학에
He | is | highly interested | in philosophy.
주어　 동사　　　　주격 보어(과거분사)

- 감정을 나타내는 동사의 분사형이 2형식 동사(be, become, seem, get, feel, look 등) 뒤에 나와서 **주격 보어**로 쓰이면 '**~한[하는]**'으로 해석한다.
- 감정을 나타내는 동사: excite(흥분시키다), please(기쁘게 하다), satisfy(만족하게 하다), surprise(놀라게 하다), amaze(놀라게 하다), scare(겁먹게 하다), bore(지루하게 하다), tire(피곤하게 하다), exhaust(지치게 하다), disappoint(실망하게 하다), annoy(화나게 하다), embarrass(당황하게 하다), confuse(당황하게 하다)

어법 주어가 감정을 느끼게 하는 것이면 현재분사(v-ing)가 오고, 주어가 감정을 느끼는 것이면 과거분사(p.p.)가 온다.

🔍 다음 문장에서 주격 보어에 밑줄을 긋고, 문장을 해석하시오.

1 I was embarrassed when my daughter cried in front of people.

⤷

2 Most students got exhausted after they finished final exams.

⤷

3 The news was disappointing for the local people.

⤷

4 Her style of speaking was confusing to some audiences.

⤷

어법 다음 괄호 안에서 알맞은 말을 고르고, 문장을 해석하시오.

5 I was so [annoying / annoyed] with him for showing up late.

⤷

6 The results of the experiment were pretty [interesting / interested].

⤷

🔒 **해석의 Key**

흔히 감정을 나타내는 분사는 to, for, at, with 등의 전치사구와 함께 쓰인다.

- □ cry 울다
- □ final exam 기말고사
- □ local 지역의
- □ audience 청중
- □ show up 나타나다
- □ result 결과
- □ experiment 실험
- □ pretty 매우

Answer p.11

나는　　부탁했다　　그에게　　　　　내 초상화를 그려달라고
I | asked | him | to draw my portrait.
주어　　　동사　　　목적어　　　　　　목적격 보어(to부정사)

- 목적격 보어는 목적어의 상태 · 동작을 보충 설명해주는 말로, 일부 5형식 동사(want, ask, tell, expect, allow, order, advise, force, invite, cause, warn, promise 등)는 목적격 보어로 to부정사를 쓴다. 「**동사＋목적어＋to부정사**」의 형태로 나타나며, '**목적어가 ~하기를 …하다**', '**목적어에게 ~하도록[하라고] …하다**'로 해석한다.

어법 🔍 목적격 보어로 to부정사가 와야 하는 자리에 동사원형이 오지는 않았는지 유의하도록 한다.

🔍 다음 밑줄 친 부분에 유의하여 문장을 해석하시오.

1 Fans and supporters want her to do her best.

　↳

2 I told him to be careful on the way home because it was snowing.

　↳

3 The doctor advised Daniel to stop eating spicy food.

　↳

4 Art allows people to experience pieces of various cultures.

　↳

5 High oil prices caused people to think twice about using their cars.

　↳

어법 🔍 다음 괄호 안에서 알맞은 말을 고르고, 문장을 해석하시오.

6 I didn't expect him [become / to become] a successful writer.

　↳

7 She forced her son [to attend / attend] the wedding ceremony.

　↳

□ **supporter** 지지자
□ **advise** 충고[조언]하다
□ **allow** ~할 수 있게 하다, 허락[허용]하다
□ **experience** 경험하다
□ **piece** 일부, 조각
□ **various** 다양한
□ **culture** 문화
□ **cause** ~하게 하다, 야기하다
□ **expect** 기대하다, 예상하다
□ **successful** 성공적인
□ **force** 강요하다

Answer p.12

나의 아버지는　　　놔두지 않으실 것이다　　내가　　　늦게까지 밖에 있도록
My dad | won't let | me | stay out late.
주어　　　　　　　동사(사역동사)　　　　목적어　　　목적격 보어(동사원형)

- 지각동사(see, watch/hear/feel/notice 등)와 사역동사(make/have/let)는 목적격 보어로 동사원형을 쓴다. 「지각동사 +목적어+동사원형」은 '목적어가 ~하는 것을 보다[듣다/느끼다/알아차리다]'로, 「사역동사+목적어+동사원형」은 '목적어에게 ~하도록 만들다[시키다/(허락)해 주다]'로 해석한다.

어법 지각동사나 사역동사의 목적격 보어 자리에 동사원형 대신 to부정사가 오지는 않았는지 유의하도록 한다.

🔍 다음 문장에서 목적격 보어에 밑줄을 긋고, 문장을 해석하시오.

1 I heard somebody call my name very loudly.

⇨

2 Susan didn't notice him come into the shop.

⇨

3 The book made me feel positive about myself.

⇨

4 Don't let your child ride on a skateboard on the street.

⇨

5 Teachers can help their students discover their dreams.

⇨

🔑 **해석의 Key**
동사 help는 목적격 보어로 to부정사와 동사원형을 둘 다 쓴다. 「help+목적어+(to) 동사원형」은 '목적어가 ~하도록 돕다'로 해석한다.

어법 다음 괄호 안에서 알맞은 말을 고르고, 문장을 해석하시오.

6 He felt something [crawl / to crawl] across the back of his neck.

⇨

7 My mother always had us [to wash / wash] our hands before a meal.

⇨

☐ **positive** 긍정적인
☐ **discover** 발견하다
☐ **crawl** 기어가다
☐ **meal** 식사

Answer p.12

skill 32 | 분사가 목적격 보어인 문장 읽기

나는   느꼈다   내 심장이   매우 빠르게 뛰고 있는 것을

I | felt | my heart | beating so fast.

주어   동사(지각동사)   목적어   목적격 보어(현재분사)

- 분사는 목적격 보어로 쓰일 수 있으며, 「동사＋목적어＋현재분사(v-ing)」는 '목적어가 ～하고 있는 것을 …하다'로, 「동사＋목적어＋과거분사(p.p.)」는 '목적어가 ～된 것을[되도록] …하다'로 해석한다.

  어법 목적격 보어로 분사가 쓰인 경우, 현재분사는 목적어와 능동 관계이고, 과거분사는 목적어와 수동 관계이다.

🔍 다음 밑줄 친 부분에 유의하여 문장을 해석하시오.

1 I heard the twin brothers <u>playing outside</u>.

⟳

2 She found a black cat <u>lying on the ground</u>.

⟳

3 My friend had her wallet <u>stolen</u> today.

⟳

4 When they arrived, they found the building <u>destroyed</u>.

⟳

5 According to school rules, students cannot have their hair <u>permed</u>.

⟳

어법 다음 괄호 안에서 알맞은 말을 고르고, 문장을 해석하시오.

6 You must not keep him [waiting / waited] so long.

⟳

7 I had my teeth [examining / examined] by a good dentist.

⟳

□ twin 쌍둥이
□ steal 훔치다(-stole-stolen)
□ destroy 파괴하다
□ perm 파마를 하다
□ keep 계속 ~하게 하다
□ examine 진찰[검사]하다
□ dentist 치과의사

Answer p.12

네모 어법 **A** 다음 문장의 네모 안에서 어법상 알맞은 것을 고르시오.

01 Our mission is improve / improving the quality of life. ↪ skill 26

02 The fact is that / what I have another appointment. ↪ skill 27

03 The problem is how we get / how get we it at a low cost. ↪ skill 28

04 What they told me was confused / confusing . ↪ skill 29

05 I asked him go / to go to a concert with me. ↪ skill 30

보기 선택 **B** 다음 문장에서 밑줄 친 부분의 쓰임을 보기 에서 골라 기호를 쓰시오. ↪ skill 26, 27, 28, 30, 31

보기 ⓐ 주격 보어 ⓑ 목적격 보어

01 Pride didn't allow him to accept the money.

02 The point is whether he will understand it or not.

03 I watched her walk down the road.

04 This is what we didn't want to happen.

05 What is needed now is to put our knowledge into practice.

A improve 향상시키다 quality 질, 품질 fact 사실 appointment 약속 cost 비용
B pride 자존심, 자부심 accept 받아들이다 understand 이해하다 happen 일어나다, 발생하다
put ~ into practice ~을 실천에 옮기다 knowledge 지식

해석완성 C 다음 문장에서 보어에 밑줄을 긋고, 우리말 해석을 완성하시오.

01 He was satisfied with the silver medal. ↻ skill 29

그는 _____.

02 The best way to defend is to attack. ↻ skill 26

방어를 하는 _____.

03 My mother advised me to write in a diary every day. ↻ skill 30

나의 엄마는 _____.

04 None of them noticed him come in. ↻ skill 31

그들 중 어느 누구도 _____.

어순배열 D 다음 우리말과 일치하도록 괄호 안의 말을 바르게 배열하시오.

01 요점은 많은 사람들이 전문가로부터 조언을 구한다는 것이다.
(experts, that, the key point, advice, is, many people, from, seek) ↻ skill 27

02 문제는 그들이 누구를 팀 리더로 뽑을 것인가이다.
(will choose, the question, who, as a team leader, is, they) ↻ skill 28

03 나는 그가 좌절하는 것을 본 적이 없다.
(get, I, haven't, frustrated, seen, him) ↻ skill 31

04 나는 무언가가 나에게 매우 빨리 다가오고 있는 것을 느꼈다.
(me, felt, approaching, I, something, very quickly) ↻ skill 32

C defend 방어하다 attack 공격하다 diary 일기
D expert 전문가 seek 구하다, 찾다 choose 뽑다, 선택하다 frustrate 좌절하게 하다 approach 다가오다, 접근하다

시제와 수동태
동사의 형태 변화 ①

● 태

주어로 쓰인 말이 동사가 나타내는 동작을 하는지, 아니면 동작을 당하는지를 보여주는 동사 형태

● 능동태

동작의 주체를 주어로 두는 동사 형태

● 수동태

수동적으로 동작의 영향을 받거나 당하는 대상을 주어로 두는 동사 형태

Van Gogh painted the picture. (능동태 문장: '주어가 목적어를 동사하다')
　　주어　　동사　　목적어

The picture was painted by Van Gogh. (수동태 문장: '주어가 행위자에 의해 동사되다[해지다]')
　　주어　　동사(be p.p.)　by+행위자

과거완료 문장 읽기 (1)

나는   원숭이를 본 적이 있다   내가 동물원에 방문하기 전에

I | had seen a monkey | before I visited the zoo.
주어   동사(과거완료)

- 「**had p.p.**」는 동사의 과거완료형으로, 과거의 특정 시점을 기준으로 그때까지의 경험, 계속, 완료, 결과를 나타낸다. 문맥에 따라 '~한 적이 있었다', '~ 해 왔었다', '~했었다', '~해 버렸다'로 해석한다.

  어법 「have[has] + p.p.」는 동사의 현재완료형으로, '현재'를 기준으로 그때까지의 경험, 계속, 완료, 결과를 나타낸다.

🔍 다음 문장에서 주절의 동사에 밑줄을 긋고, 문장을 해석하시오.

1 I had met her twice before she left for Seoul.

   ↳

2 Jake had learned Korean for two years when I met him.

   ↳

3 He had arrived at the station before the train left.

   ↳

4 I had hurt my foot and could not walk on it.

   ↳

5 She had already had lunch when I got home.

   ↳

🔒 **해석의 Key**

동사의 과거완료형이 already(이미, 벌써), yet(아직), just(방금, 막) 등의 부사와 함께 쓰일 때는 '~했었다'(완료)로 해석한다.

어법 다음 괄호 안에서 알맞은 말을 고르고, 문장을 해석하시오.

6 I [has waited / had waited] for an hour before I called my son.

   ↳

7 She wondered if I [had been / has been] to Europe before.

   ↳

☐ twice 두 번
☐ leave for ~로 떠나다
☐ station 역
☐ wonder if ~인지 아닌지 궁금해하다

Answer p.13

과거완료 문장 읽기 (2)

나는   알아차렸다   내가 열쇠를 잃어버렸다는 것을
I | noticed | that I had lost my key.
주어   동사(과거형)   목적어(과거완료형 동사가 쓰임)

- 동사의 과거완료형(had p.p.)은 동사의 과거형처럼 '~했(었)다'로 해석할 수 있지만, 과거형보다 시간상 먼저 일어난 일 (대과거)을 나타낸다.

어법 「had been v-ing」는 동사의 과거완료진행형으로, 대과거에서 과거까지의 기간 동안 동작이 계속되었음을 강조한다. '~해오고 있었다'로 해석한다.

🔍 다음 밑줄 친 부분에 유의하여 문장을 해석하시오.

1 My mother had played the piano before she became ill.

2 She had learned how to ski before she was five years old.

3 He told me he had bought some flowers for me.

4 I had studied hard and I finally passed the test.

5 I had never heard the rumor until you told me.

🔒 해석의 Key
과거완료의 부정은 had와 과거분사(p.p.) 사이에 not 이나 never를 써서 나타낸다.

어법 다음 괄호 안에서 알맞은 말을 고르고, 문장을 해석하시오.

6 I [had been doing / has been doing] my homework when Sam phoned me.

7 They [has been talking / had been talking] for hours before Jack arrived.

□ ill 아픈
□ pass 통과하다
□ rumor 소문
□ phone 전화하다

Answer p.13

그 인형들은   만들어졌다   그녀에 의해

The dolls | were made | by her.
주어   동사(과거시제 수동태)

- 「was[were] p.p.」의 형태인 과거시제 수동태는 '(주어가) ~되었다[해졌다]'로 해석한다.
- 「will be p.p.」의 형태인 미래시제 수동태는 '(주어가) ~될 것이다'로 해석한다.

어법 🎾 미래시제 수동태의 부정문은 「will not be p.p.」, 미래시제 수동태의 의문문은 「Will + 주어 + be p.p.」의 형태이다.

🔍 다음 밑줄 친 부분에 유의하여 문장을 해석하시오.

1 The church was founded in 1970.

⮫

2 These books were written in French.

⮫

3 The wall will be painted by our family.

⮫

4 The guitar will be played by my brother.

⮫

5 The robber was not caught by the police.

⮫

어법 🎾 다음 괄호 안에서 알맞은 말을 고르고, 문장을 해석하시오.

6 Any collected information [will not be / will be not] sold.

⮫

7 [Will it be / Will be it] delivered free of charge?

⮫

🔒 **해석의 Key**

기본적으로 수동태의 부정문은 be동사에 not을 붙여 나타내고, 수동태의 의문문은 be동사를 문장 맨 앞으로 옮겨 나타낸다.

□ **found** 설립하다
□ **French** 프랑스어
□ **robber** 강도
□ **catch** 붙잡다(-caught)
□ **collect** 수집하다
□ **information** 정보
□ **deliver** 배달하다
□ **free of charge** 무료로

Answer p.13

그 약은   복용되어야 한다   하루에 세 번

The medicine │ should be taken │ three times a day.

주어   동사(조동사+be p.p.)

• 「be p.p.」 앞에 조동사가 오면, 수동태의 기본 의미에 조동사의 의미를 더해 해석한다.
  – 「should be p.p.」, 「must be p.p.」: '~되어야 한다'
  – 「may be p.p.」: '~될지도 모른다', '~될 수 있다'
  – 「can be p.p.」: '~될 수 있다'

어법 주어와 동사의 관계가 능동이면 「조동사 + 동사원형」으로, 수동이면 「조동사 + be p.p.」로 나타낸다.

Q 다음 밑줄 친 부분에 유의하여 문장을 해석하시오.

1 The sweater <u>can be washed</u> in cold water.

⇨

2 She <u>may be elected</u> as a member of a school committee.

⇨

3 The same errors <u>should not be repeated</u>.

⇨

4 Our final report <u>must be submitted</u> by the end of March.

⇨

5 What <u>can be done</u> to make the world a safer place?

⇨

어법 다음 괄호 안에서 알맞은 말을 고르고, 문장을 해석하시오.

6 What must [do / be done] before signing the contract?

⇨

7 The problems can [be fixed / fix] with one attempt.

⇨

☐ elect 뽑다, 선출하다
☐ committee 위원회
☐ error 실수
☐ repeat 반복하다
☐ final 최종의, 마지막의
☐ submit 제출하다
☐ sign 서명하다
☐ contract 계약서
☐ attempt 시도

Answer p.13

목적어가 있는 수동태 문장 읽기

② 우리에게	④ 가르쳐주셨다	③ 화학을	① Johnson 선생님은
We	**were taught**	**chemistry**	**by Mr. Johnson.**
주어	동사(be p.p.)	의미상 4형식 문장의 직접목적어	

• 수동태 문장에서 수여동사의 p.p.가 오면, 문장을 능동태로 바꿔 해석하는 것이 더 자연스럽다. 이때 해석은 〈by 행위자 → 주어 → p.p. 뒤 → be p.p.〉 순서로 한다.

어법 「be p.p.」 뒤에 「전치사 + 사람」이 올 때, 전치사는 p.p.에 따라 달라진다. bought/made/got 뒤에는 전치사 for가, asked 뒤에는 전치사 of가, 그 밖의 p.p. 뒤에는 전치사 to가 온다.

🔍 다음 밑줄 친 부분에 유의하여 문장을 해석하시오.

1 I was asked many questions by members in the meeting.

⇨

2 The toy was bought for him by his grandfather.

⇨

🔒 **해석의 Key**
「be + 수여동사의 p.p.」 뒤에 「전치사 + 사람」이 오면 '~에게'라고 해석한다.

3 These beautiful flowers were given to me by Peter.

⇨

4 Another fork was brought for me by the waiter.

⇨

어법 다음 괄호 안에서 알맞은 말을 고르고, 문장을 해석하시오.

5 A dog was given [to me / for me] by my friend.

⇨

6 Many questions about the movie were asked [of the actress / for the actress] by the reporters.

⇨

□ toy 장난감
□ another 또 하나의
□ bring 가져다주다(-brought)
□ actress 여배우
□ reporter 기자

Answer p.14

② 그가 　　④ 보았다 　　③ 그 건물을 떠나는 것을 　　① Jenny는

He | was seen | to leave the building | by Jenny.

주어　　　동사(be p.p.)　　　　　의미상 5형식 문장의 목적격 보어

- be+called/named 뒤에 오는 명사는 '~라고'로 해석한다.
- 「be p.p.」 뒤에 to부정사구가 오면, 문장을 능동태로 바꿔 해석하는 것이 더 자연스럽다. 이때 해석은 〈by 행위자 → 주어 → to부정사구 → be p.p.〉 순서로 한다.

어법 수동태 문장의 본동사는 be동사이므로, 「be p.p.」의 바로 뒤에는 동사가 올 수 없다.

🔍 다음 밑줄 친 부분에 유의하여 문장을 해석하시오.

1 Michael Jackson was called "the King of Pop."

⇨

2 I was told to lose weight by my mother.

⇨

3 Jack was heard to laugh a little by his girlfriend.

⇨

4 She was named Isabella by her grandfather.

⇨

5 Cathy was made to take a walk every day by the doctor.

⇨

어법 다음 괄호 안에서 알맞은 말을 고르고, 문장을 해석하시오.

6 We were seen [catch / to catch] small insects by Luke.

⇨

7 I was made [to wait / wait] for hours by the young man.

⇨

□ lose weight 살을 빼다
□ laugh 웃다
□ name 이름을 짓다
□ insect 곤충

Answer p.14

그 문제들은　　　　　　　　　해결되었다　　　　　　　Robert에 의해

The problems | have been solved | by Robert.

주어　　　　　　　　　　동사(현재완료 수동태)

- 「have[has] been p.p.」는 현재완료 수동태로 '~되었다', '~되어 왔다'로 해석한다.
- 「had been p.p.」는 과거완료 수동태로, '~되었다'로 해석한다.

어법 완료 수동태의 부정문은 「have[has/had] not been p.p.」의 형태로 나타낸다.

Q 다음 밑줄 친 부분에 유의하여 문장을 해석하시오.

1 The library has been painted green by the students.

2 The books have been translated in many languages.

3 The exam results had been announced on Monday.

4 One million dollars had been donated by the supporters.

5 The computer has been repaired by his uncle.

어법 다음 괄호 안에서 알맞은 말을 고르고, 문장을 해석하시오.

6 The cause of the fire [had not been / had been not] determined.

7 All the rooms [have not been / have been not] cleaned up yet.

□ translate 번역하다
□ announce 발표하다
□ donate 기부하다
□ supporter 후원자
□ repair 수리하다
□ determine 밝히다, 결정하다

Answer p.14

그 물고기들은   잡히고 있다   이 지역의 어느 곳에서나

Those fish | are being caught | anywhere in this area.
주어   동사(진행 수동태)

- 「be being p.p.」는 수동태의 진행형으로 '~되고 있다', '~해지고 있다'로 해석한다.

어법 진행 수동태에서 주어가 단수이면 be동사의 단수형을 쓰고, 주어가 복수이면 be동사의 복수형을 쓴다.

🔍 다음 밑줄 친 부분에 유의하여 문장을 해석하시오.

1 I feel that I am being loved so much.

> ⤷

2 The fox is being chased by the hunter.

> ⤷

3 The road is being blocked by construction.

> ⤷

4 She felt that she was being watched by somebody.

> ⤷

5 Injured people were being taken to the hospital.

> ⤷

어법 다음 괄호 안에서 알맞은 말을 고르고, 문장을 해석하시오.

6 The flower [is / are] being picked from the tree by him.

> ⤷

7 Secondhand goods [was / were] being sold for half price.

> ⤷

□ fox 여우
□ chase 뒤쫓다
□ hunter 사냥꾼
□ block 막다
□ construction 공사
□ injured 부상을 입은
□ pick 꺾다, 고르다
□ secondhand goods 중고품
□ half 반[절반]

Answer p.14

네모
어법 **A** 다음 문장의 네모 안에서 어법상 알맞은 것을 고르시오.

01 I had never spoken / have never spoken to the girl until then. ↻ skill 33

02 Hundreds of people was / were killed in the train accident. ↻ skill 35

03 Your valuables should be put / put in a safe place. ↻ skill 36

04 This book was given for me / to me when I was your age. ↻ skill 37

05 Problems was / were being created by negative words. ↻ skill 40

보기
선택 **B** [01–05] 다음 문장에서 밑줄 친 부분의 시제를 보기 에서 골라 기호를 쓰시오. ↻ skill 33, 34

| 보기 | ⓐ 현재완료 | ⓑ 과거완료 |

01 He kept what he <u>had promised</u>.

02 She <u>has visited</u> Canada several times.

03 She <u>had stayed</u> at her parents' house for a week.

04 We <u>haven't learned</u> how to use the program.

05 After the meeting <u>had finished</u>, they returned to their homes.

A valuables 귀중품 create 만들다 negative 부정적인
B promise 약속하다 several 몇몇의

[06-10] 다음 문장에서 밑줄 친 동사의 태를 보기 에서 골라 기호를 쓰시오. ⟲ skill 35, 36, 40

보기   ⓐ 능동태   ⓑ 수동태

06   Jack <u>was wrapped</u> in a blanket.

07   The court <u>was being occupied</u> by the students.

08   You <u>should give</u> us a little more time to prepare.

09   An important address <u>will be delivered</u> by the mayor.

10   She <u>has worked</u> as a volunteer at the fire station for a month.

해석 완성 C   다음 문장에서 동사에 밑줄을 긋고, 우리말 해석을 완성하시오.

01   Photos must not be taken during the performance.   ⟲ skill 36

    ⤷ 공연 중에는 _____ .

02   It was bought for him as a secret birthday present by his wife.   ⟲ skill 37

    ⤷ 그의 아내는 _____ .

03   Usain Bolt has been regarded as the fastest person.   ⟲ skill 39

    ⤷ Usain Bolt는 _____ .

04   Lots of cars are being produced at the factory.   ⟲ skill 40

    ⤷ 많은 자동차들이 _____ .

05   She was heard to pray to God by them.   ⟲ skill 38

    ⤷ 그들은 _____ .

B   wrap 둘러싸다, 포장하다   blanket 담요   occupy 사용하다, 차지하다   prepare 준비하다
    deliver an address 연설을 하다   mayor 시장   volunteer 자원봉사자   fire station 소방서
C   performance 공연   secret 비밀의   regard 간주하다, 여기다   produce 생산하다   factory 공장   pray 기도하다

D 다음 우리말과 일치하도록 괄호 안의 말을 바르게 배열하시오.

01 내가 왔을 때 그는 이미 그 실험을 시작했다.
(he, I came, started, had already, when, the experiment)　　↪ skill 34

02 우리는 밤중에 큰 소음에 의해 잠에서 깼다.
(we, by a loud noise, during the night, were woken up)　　↪ skill 35

03 Martin이 결혼반지를 내게 주었다.
(was given, a wedding ring, to me, by Martin)　　↪ skill 37

04 그는 우리 축구팀의 주장으로 선출되었다.
(the captain, was elected, he, of our football team)　　↪ skill 38

05 그는 어려운 상황들을 다루도록 훈련을 받아왔다.
(to deal with, he, difficult situations, had been trained)　　↪ skill 39

D experiment 실험　captain 주장, 선장　deal with ~을 다루다　situation 상황　train 훈련시키다

CHAPTER

08

조동사와 가정법

동사의 형태 변화 ②

🔵 조동사의 완료형

과거 사실에 대한 추측이나 후회를 나타낼 때
may have p.p.
cannot have p.p.
must have p.p.
should have p.p.

🔵 가정법

현재 사실이나 과거 사실과 반대되는 가정, 이룰 수 없는 소망, 실제와 다른 상황의 가정을 나타낼 때
가정법 과거
가정법 과거완료
혼합 가정법
I wish 가정법
as if 가정법

그녀는   읽었을지도 모른다   그 책을

She │ may have read │ the book.

may have p.p.(불확실한 추측)

- 「may have p.p.」는 과거 사실에 대한 불확실한 추측을 나타내며 '~했을지도 모른다'로 해석하고, 「cannot have p.p.」는 과거 사실에 대한 부정적인 추측을 나타내며 '~했을 리가 없다'로 해석한다.

   어법 🔍 「may have p.p.」의 부정형은 「may not have p.p.」이다.

🔍 다음 밑줄 친 부분에 유의하여 문장을 해석하시오.

1   I <u>may have left</u> my wallet in the library.

⇨ [   ]

2   John <u>cannot have heard</u> the news.

⇨ [   ]

3   He <u>may have noticed</u> the design has changed.

⇨ [   ]

4   Jackson <u>might have won</u> the championship.

⇨ [   ]

5   She <u>cannot have let out</u> the secret.

⇨ [   ]

🔐 **해석의 Key**

「might have p.p.」와 「may have p.p.」는 의미의 차이가 없으나 might가 좀 더 약한 추측을 나타낸다.

어법 🔍 다음 괄호 안에서 알맞은 말을 고르고, 문장을 해석하시오.

6   I [may not have done / may have not done] it without your help.

⇨ [   ]

7   You [may have not noticed / may not have noticed], but I'm in charge here.

⇨ [   ]

□ wallet 지갑
□ notice 알아차리다
□ championship 선수권 대회
□ let out ~을 누설하다
□ secret 비밀
□ in charge ~을 맡은

「must have p.p.」 문장 읽기

나의 어머니가   청소를 했음에 틀림없다   내 방을

My mother | must have cleaned | my room.

must have p.p.(강한 추측)

- 「must have p.p.」는 과거 사실에 대한 강한 추측을 나타내며 '~했음에 틀림없다'로 해석한다.

어법 🌱 「must have p.p.」는 과거 사실에 대한 강한 추측을 나타내고, 「must be」는 현재의 강한 추측을 나타낸다.

🔍 다음 밑줄 친 부분에 유의하여 문장을 해석하시오.

1 I <u>must have dropped</u> my key on my way home.

  ↳

2 We <u>must have walked</u> into the wrong room.

  ↳

3 Jane is certain they <u>must have been</u> talking about her.

  ↳

🔒 **해석의 Key**

「be certain (that) ~」은 '~라고 확신한다'로 해석한다.

4 He <u>must have been</u> sick since yesterday.

  ↳

5 She <u>must have forgotten</u> to order garlic bread.

  ↳

어법 🌱 다음 괄호 안에서 알맞은 말을 고르고, 문장을 해석하시오.

6 Kelly [must have / must] been scared when she saw strangers in her house.

  ↳

7 Robert set a new world record. He [must have / must] trained hard.

  ↳

☐ **drop** 떨어뜨리다
☐ **on one's way** ~도중에
☐ **certain** 확실한
☐ **forget** 잊다
☐ **order** 주문하다
☐ **garlic** 마늘
☐ **record** 기록
☐ **train** 훈련하다

Answer p.15

그는   공부했어야 했다(하지만 하지 않았다)   더 열심히

He | should have studied | harder.

should have p.p.(후회나 유감)

- 「should have p.p.」는 과거 사실에 대한 후회나 유감을 나타내며 '~했어야 했다(하지만 하지 않았다)'로 해석한다. 「should not have p.p.」는 '~하지 말았어야 했다(하지만 했다)'로 해석한다.

어법 「should + 동사원형」은 현재의 의무와 충고를 나타내며 「should have p.p.」는 과거 사실에 대한 후회나 유감을 나타낸다.

🔍 다음 밑줄 친 부분에 유의하여 문장을 해석하시오.

1 You should have taken my offer.

⇨

2 I shouldn't have eaten so much right before bed.

⇨

3 You should have been more considerate of others.

⇨

4 Mike shouldn't have yelled at the reporter.

⇨

5 You should have informed me of the fact earlier.

⇨

어법 다음 괄호 안에서 알맞은 말을 고르고, 문장을 해석하시오.

6 You should [come / have come] to the party last night.

⇨

7 I should [return / have returned] the book to the library last week.

⇨

□ offer 제안
□ considerate 사려 깊은
□ yell 고함치다
□ reporter 기자
□ inform 알리다

Answer p.15

만약 내가 너라면   나는 그녀를 도울 텐데

If I were you, | I would help her.
조건절(if절)   귀결절(주절)

• 가정법 과거는 현재 사실과 반대되는 가정을 나타내며 「If+주어+동사의 과거형 ~, 주어+조동사의 과거형+동사원형 …」의 형태로 쓴다. '**만약 ~하다면[이라면] …할 텐데**'로 해석한다.

어법 가정법 과거 문장에서 if절의 be동사는 주어의 인칭과 수에 관계없이 were를 쓴다.

🔍 다음 문장에서 if절의 동사에 밑줄을 긋고, 문장을 해석하시오.

1   If I were you, I would start looking for a new job.

    ⤷

2   If I knew her cell phone number, I could send her a text message.

    ⤷

3   If she took the subway, she would not be late.

    ⤷

4   What would you do if you were ten years younger?

    ⤷

5   If he were nicer, we would be friends.

    ⤷

어법 다음 괄호 안에서 알맞은 말을 고르고, 문장을 해석하시오.

6   If I [am / were] rich, I would buy everything in the store.

    ⤷

7   If it [weren't / isn't] snowing, I could go outside.

    ⤷

☐ look for ~을 찾다
☐ cell phone 휴대전화
☐ text message 문자 메시지
☐ take the subway 지하철을 타다

Answer p.15

가정법 과거완료 문장 읽기

만약 그녀가 더 일찍 방문했다면   나는 그녀와 이야기를 나눌 수 있었을 텐데

If she had visited earlier, | I could have talked with her.
조건절(if절)   귀결절(주절)

• 가정법 과거완료는 과거 사실과 반대되는 가정을 나타내며 「If+주어+had p.p. ~, 주어+조동사의 과거형+have p.p.…」의 형태로 쓴다. '만약 ~했다면[였다면] …했을 텐데'로 해석한다.

어법 단순 조건문은 「If+주어+동사의 현재형 ~, 주어+조동사의 현재형+동사원형 …」의 형태로, 실현 가능한 일을 가정할 때 쓴다.

🔍 다음 문장에서 if절의 동사에 밑줄을 긋고, 문장을 해석하시오.

1   If I had known you were in the hospital, I would have visited you.

2   If I had been hungry, I would have eaten something.

3   If the weather had been better, I'd have been sitting in the yard.

4   If they had invited me, I would have spent time with them.

5   If I had had a chance to become a film director, I wouldn't have hesitated.

🔒 **해석의 Key**

had had에서 첫 번째 had는 가정법 과거완료를 이끄는 조동사이고, 두 번째 had는 일반동사 have의 과거완료형이다.

어법 다음 괄호 안에서 알맞은 말을 고르고, 문장을 해석하시오.

6   If you [work / had worked] hard, you will finally achieve your goal.

7   If you touch this button, you can [choose / have chosen] the game.

☐ **visit** 방문하다
☐ **yard** 마당, 뜰
☐ **invite** 초대하다
☐ **director** 감독
☐ **hesitate** 주저하다
☐ **achieve** 성취하다
☐ **goal** 목표

Answer p.16

어젯밤에 비가 내렸다면   거리가 지금 젖어 있을 텐데

If it had rained last night, | the streets would be wet now.
조건절(if절)   귀결절(주절)

- 혼합 가정법은 과거 사실과 반대되는 가정이 현재 상황에 영향을 미칠 때 사용하며, 「If+주어+had p.p. ~, 주어+조동사의 과거형+동사원형 …」의 형태로 쓴다. '(과거에) 만약 ~했다면[였다면] (지금) …할 텐데'로 해석한다.
- **어법** 혼합 가정법의 조건절에는 과거를 나타내는 부사구가, 주절에는 현재를 나타내는 부사구가 자주 나온다.

🔍 다음 밑줄 친 부분에 유의하여 문장을 해석하시오.

1 If I had studied hard last year, I would be a college student now.

↪

2 If I had not seen the movie late last night, I would not feel tired today.

↪

3 If he had not gone to war, he would not be in a wheelchair now.

↪

4 If I had chosen the job, I would be much wealthier now.

↪

5 If it had not been for your help, I might not be safe now.

↪

🔑 **해석의 Key**
「if it had not been for ~」는 '~이 없었다면'으로 해석되며, 「without ~」, 「but for ~」로 바꿀 수 있다.

어법 다음 괄호 안에서 알맞은 말을 고르고, 문장을 해석하시오.

6 If Jane [didn't go / hadn't gone] to the party yesterday, she would not be busy today.

↪

7 If I [had rented / rented] a car yesterday, I could go anywhere I want now.

↪

□ **college** 대학
□ **tired** 피곤한
□ **war** 전쟁
□ **choose** 선택하다
□ **wealthy** 부유한
□ **safe** 안전한
□ **rent** 빌리다

좋을 텐데   내가 기회를 갖는다면   북극을 방문할
I wish | I had the chance | to visit the North Pole.
주절   가정법 과거

• I wish 다음에 가정법 과거 또는 가정법 과거완료를 써서 현재나 과거의 이룰 수 없는 소망이나 후회를 나타내며, '~하면 [이라면] 좋을 텐데', '~했다면[였다면] 좋았을 텐데'로 해석한다.

어법 실현 가능성이 희박한 현재의 소망을 나타낼 때는 「I wish + (that) + 주어 + 동사의 과거형 ~」을 쓰고, 과거에 이루지 못한 일에 대해 아쉬움이나 후회를 나타낼 때는 「I wish + (that) + 주어 + had p.p. ~」를 쓴다.

🔍 다음 밑줄 친 부분에 유의하여 문장을 해석하시오.

1   I wish all kids <u>were</u> like him.

2   I wish I <u>had learned</u> more in school.

> 🔒 **해석의 Key**
> 'I'm sorry I didn't learn more in school.'의 뜻으로 이해할 수 있으며, 학교에서 더 많은 것을 배우지 못한 것이 유감이라는 의미를 내포하고 있다.

3   I wish I <u>could meet</u> more people like you.

4   I wish my school team <u>had won</u> the soccer game.

5   I wish I <u>had</u> my own room instead of sharing with my sister.

어법 다음 괄호 안에서 알맞은 말을 고르고, 문장을 해석하시오.

6   I wish he [were / had been] with me here right now.

7   I wish I [passed / had passed] chemistry test last semester.

□ **win** 승리하다
□ **instead of** ~대신에
□ **share** 공유하다
□ **chemistry** 화학
□ **semester** 학기

as if 가정법 문장 읽기

그는 행동한다　　　　　　　　자신이 마치 왕인 것처럼
He acts | as if he were a king.
주절　　　　　　　　　　　　가정법 과거

- **as if** 다음에 가정법 과거 또는 가정법 과거완료를 써서 실제와 다른 상황의 가정을 나타내며, '마치 ~인[하는] 것처럼', '마치 ~였던[했던] 것처럼'으로 해석한다.

어법 주절의 시제와 관계없이, as if가 이끄는 절이 주절과 같은 시점의 내용을 나타낼 때는 「as if + 주어 + 동사의 과거형 ~」을 쓰고, as if가 이끄는 절이 주절보다 더 과거 시점의 내용을 나타낼 때는 「as if + 주어 + had p.p. ~」를 쓴다.

🔍 다음 밑줄 친 부분에 유의하여 문장을 해석하시오.

1　I still remember our wedding as if it <u>had happened</u> yesterday.

↪

2　She loved him as if he <u>were</u> her grandson.

↪

3　He feels as if the work <u>were</u> his own affairs.

↪

4　I felt as if I <u>were</u> going back into the past.

↪

5　He talked as though he <u>had known</u> all about the accident.

↪

🔒 **해석의 Key**

as if 대신에 as though 를 쓸 수 있으며 같은 의미 로 쓰여 '마치 ~처럼'으로 해석한다.

어법 다음 괄호 안에서 알맞은 말을 고르고, 문장을 해석하시오.

6　Peter talked as if he [visited / had visited] Moscow last year.

↪

7　He slept as if he [were / had been] a baby.

↪

□ **wedding** 결혼(식)
□ **grandson** 손자
□ **affair** 일, 문제
□ **past** 과거
□ **accident** 사고
□ **Moscow** 모스크바

Answer p.16

Exercise

A 다음 문장의 네모 안에서 어법상 알맞은 것을 고르시오.

01   I should have called / should call her yesterday.   ↻ skill 43

02   If it happened / had happened , I would have broken his heart.   ↻ skill 45

03   If he married / had married her, he would not be alone now.   ↻ skill 46

04   I wish this wedding is / were mine.   ↻ skill 47

05   It looks as if the blaze was / had been started deliberately.   ↻ skill 48

B [01-05] 다음 문장에서 밑줄 친 부분의 의미를 보기 에서 골라 기호를 쓰시오.   ↻ skill 41, 42, 43

보기   ⓐ 과거의 불확실한 추측   ⓑ 과거의 부정적 추측   ⓒ 과거의 강한 추측   ⓓ 과거의 후회나 유감

01   He may have caught a bad cold.

02   You should not have promised him anything.

03   Someone must have taken my pencil from the desk.

04   She cannot have slept because of the construction noise.

05   We should have followed his suggestions.

A happen 일어나다, 발생하다   alone 혼자   blaze 화염   deliberately 고의로
B catch (병에) 걸리다   promise 약속하다   construction 공사   follow 따르다   suggestion 제안

[06-10] 다음 문장에서 밑줄 친 부분의 쓰임을 보기 에서 골라 기호를 쓰시오. ⟲ skill 44, 45, 47, 48

보기 　　ⓐ 가정법 과거　　ⓑ 가정법 과거완료

06 If I <u>were</u> in your shoes, I <u>would resign</u> from the position immediately.

07 I wish my daughter <u>would clean</u> up her room.

08 If the car <u>had not stopped</u>, she <u>would have been</u> seriously injured.

09 He smiles as if he <u>had known</u> what I was thinking.

10 I wish I <u>had not lost</u> your contact information.

해석
완성 **C** 　다음 밑줄 친 부분에 유의하여 우리말 해석을 완성하시오.

01 If I <u>had</u> a good memory, I <u>would worry</u> less. 　　⟲ skill 44

　　▷ 내가 ＿＿＿＿＿＿＿＿＿＿＿＿＿＿＿＿＿＿＿＿＿＿＿＿＿.

02 If she <u>had been</u> alive, she <u>would have been</u> fighting for justice. ⟲ skill 45

　　▷ 그녀가 ＿＿＿＿＿＿＿＿＿＿＿＿＿＿＿＿＿＿＿＿＿＿＿.

03 If I <u>had taken</u> my father's advice, I <u>would not be</u> in trouble now. ⟲ skill 46

　　▷ 내가 ＿＿＿＿＿＿＿＿＿＿＿＿＿＿＿＿＿＿＿＿＿＿＿.

04 I wish I <u>could speak</u> French as well as she. 　　⟲ skill 47

　　▷ 내가 ＿＿＿＿＿＿＿＿＿＿＿＿＿＿＿＿＿＿＿＿＿＿＿.

05 She looked as if she <u>were</u> in extreme concentration. 　　⟲ skill 48

　　▷ 그녀는 ＿＿＿＿＿＿＿＿＿＿＿＿＿＿＿＿＿＿＿＿＿＿＿.

B be in one's shoes ~의 입장에 처하다　resign 사임하다　immediately 즉시　seriously 심하게　injured 부상당한
contact information 연락처
C memory 기억(력)　justice 정의　advice 충고　extreme 극도의　concentration 집중

어순
배열 **D**   다음 우리말과 일치하도록 괄호 안의 말을 바르게 배열하시오.

01   그는 내 문자 메시지를 못 봤을지도 모른다.
(he, seen, may, have, my text message, not)   ↻ skill 41

02   그는 자동차에서 나오려고 시도했음이 틀림없다.
(get out of, have, he, must, the car, tried to)   ↻ skill 42

03   내게 더 많은 시간이 있었다면, 더 많은 것들을 했을 텐데.
(more things, would have done, if, I, had had, more time, I)   ↻ skill 45

04   그가 오늘 아침 나를 태워줬으면 좋았을 텐데.
(I, he, had, given me, a ride, wish, this morning)   ↻ skill 47

05   그는 마치 우리가 존재하지 않는 것처럼 우리를 지나쳐 걸어갔다.
(walked, he, did not, we, past us, exist, as if)   ↻ skill 48

D   get out of ~에서 나오다   give ~ a ride ~를 태워주다   exist 존재하다

CHAPTER

09

접속사와 분사구문

문장 내 접속사의 쓰임과 생략

● 분사구문의 개념

부사절에서 「접속사＋주어」를 생략하고 동사를 분사로 변형시켜, 부사절을 줄여 쓴 구문을 말한다. 부사절과 마찬가지로 주절의 앞이나 뒤에 붙어 시간, 이유, 조건, 양보 등의 의미를 나타낸다.

● 분사구문 만드는 법

① 접속사를 생략한다.
② 부사절의 주어가 주절의 주어와 같으면, 부사절의 주어를 생략한다.
③ 부사절의 동사를 현재분사(v-ing)로 바꾼다.
   ~~When he~~ saw me, he greeted me first.
   → Seeing me, he greeted me first.

그는 돈을 저축했다　　　　　　　　　새 자동차를 사기 위해서
He saved money │ so that he could buy a new car.
목적의 부사절

- 「so that+주어+조동사+동사원형 ～」은 목적을 나타내며 '～하기 위해', '～하도록'으로 해석한다.
- **어법** 「so that …」은 앞에 콤마(,)가 있을 경우 결과를 나타내며 '그 결과[그래서] …하다'로 해석한다.

🔍 다음 밑줄 친 부분에 유의하여 문장을 해석하시오.

1 She started early so that she might get a good seat.

⇨

2 I bought some walnuts so that I could make a pie.

⇨

3 I want to be a doctor so that I may cure sick people.

⇨

4 He goes jogging every morning so that he can stay healthy.

⇨

5 I take notes so that I can remember something important. 🔑

⇨

🔒 **해석의 Key**
-thing 뒤에 오는 형용사는 앞의 명사(-thing)를 수식한다.

어법 다음 괄호 안에서 알맞은 말을 고르고, 문장을 해석하시오.

6 He cried out [so that / , so that] he could ask for help.

⇨

7 She gave me a ride [so that / , so that] I wasn't late for work.

⇨

□ walnut 호두
□ cure 치료하다
□ stay healthy 건강을 유지하다
□ take notes 메모를 하다
□ cry out 소리치다
□ ask for ~를 요청하다
□ give ~ a ride ~를 태워주다

Answer p.17

「so ~ that …」 문장 읽기

> 그 영화는 너무 흥미로워서   나는 그것에서 눈을 뗄 수가 없었다
> **The film was so interesting | that I couldn't take my eyes off it.**
> 결과의 부사절

- 「so + 형용사[부사] + that …」은 원인과 결과를 나타내며 '너무 ~해서(원인) …하다(결과)'로 해석한다.

어법 so 대신 such를 사용해 원인과 결과를 나타낼 수도 있다. 이때 문장은 「such + a(n) + 형용사 + 명사 + that …」의 형태가 된다.

🔍 다음 밑줄 친 부분에 유의하여 문장을 해석하시오.

1 She spoke English so fast that I couldn't understand her.

> ⤷

2 The painting was so expensive that nobody could buy it.

> ⤷

3 She sang so beautifully that everyone applauded her.

> ⤷

4 His power is so great that we cannot help obeying him.

> ⤷

🔒 **해석의 Key**
cannot help v-ing는 '~
하지 않을 수 없다'로 해석
한다.

5 His speech was so boring that I almost fell asleep.

> ⤷

어법 다음 괄호 안에서 알맞은 말을 고르고, 문장을 해석하시오.

6 The basketball player is [so / such] famous that everyone recognizes him.

> ⤷

☐ **understand** 이해하다
☐ **applaud** 박수를 치다
☐ **obey** 따르다, 순종하다
☐ **boring** 지루한
☐ **almost** 거의
☐ **recognize** 알아보다, 인식하다
☐ **divide** 나누다

7 It was [so / such] a big city that they decided to divide it into three.

> ⤷

Answer p.18

신문을 읽으면서   그는 커피를 마신다

Reading the newspaper, | he drinks coffee.

분사구문(동시동작)   주절

- 문장의 앞이나 중간, 또는 뒤에 분사가 이끄는 어구(**분사구문**)가 나오면, 다음과 같이 해석할 수 있다.

동시동작(as): '~하면서'	연속동작(and): '그리고 나서 ~하다'	기타 시간(as, when/while/after): '~할 때' / '~하는 동안' / '~한 후에'

어법 분사구문을 해석할 때 주절과 의미상 자연스럽게 연결해주는 접속사를 추측하는 것이 중요하다.

🔍 다음 밑줄 친 부분에 유의하여 문장을 해석하시오.

1 <u>Smiling broadly</u>, she waved her hand at me.

   ➡

2 One of my friends went to America, <u>meeting his family</u>.

   ➡

3 <u>Arriving at the airport</u>, John took a taxi to the hotel.

   ➡

4 <u>While watching the movie</u>, she was crying the entire time.

   ➡

🔒 **해석의 Key**
분사구문의 뜻을 분명히 하기 위해 접속사를 남겨 두기도 한다.

어법 다음 괄호 안에서 알맞은 말을 고르고, 문장을 해석하시오.

5 Talking on her cell phone, she looked inside her bag.

   = [As / If] she talked on her cell phone, she looked inside her bag.

   ➡

6 Looking out the window, I saw a strange man.

   = [When / Because] I looked out the window, I saw a strange man.

   ➡

☐ **broadly** 활짝
☐ **wave** 흔들다
☐ **airport** 공항
☐ **the entire time** 줄곧, 내내
☐ **strange** 낯선, 이상한

Answer p.18

집에 지갑을 놓고 와서   나는 그것을 가지러 돌아갔다
Leaving my purse at home, | I went back to get it.
분사구문(이유)   주절

- 분사구문은 이유나 조건을 나타내기도 한다.

| 이유(because, as, since): '~하므로', '~해서', '~하기 때문에' | 조건(if): '~하다면[라면]' |

어법 분사구문의 부정은 분사 앞에 not이나 never를 써서 나타낸다.

🔍 다음 밑줄 친 부분에 유의하여 문장을 해석하시오.

1 <u>Having too much coffee</u>, I couldn't sleep well.

⇨

2 <u>Being a foreigner</u>, he did not understand the joke.

⇨

3 <u>Not knowing what to say next</u>, I just stared at her.

⇨

4 <u>Turning to the right</u>, you will find my house.

⇨

5 <u>The weather permitting</u>, we'll spend our free time outside.

⇨

🔒 **해석의 Key**
부사절의 주어와 주절의 주어가 일치하지 않을 때는 부사절의 주어를 생략하지 않고 그대로 남겨둔다.

어법 다음 괄호 안에서 알맞은 말을 고르고, 문장을 해석하시오.

6 [Not knowing / Knowing not] her phone number, I couldn't contact her.

⇨

7 [Working out not / Not working out] regularly, you can't lose weight.

⇨

□ **foreigner** 외국인
□ **joke** 농담
□ **stare at** ~을 응시하다
□ **permit** 허락[허용]하다
□ **contact** 연락하다
□ **work out** 운동을 하다
□ **regularly** 규칙적으로

Answer p.18

숙제를 끝내고 나서 　　　　　　　　　　　　나는 놀기 위해 밖에 나갔다
Having finished my homework, | I went out to play.
완료형 분사구문 　　　　　　　　　　　　　　　　주절

- 「Having p.p.」로 시작하는 분사구문은 주절보다 시간상 앞서 일어난 것으로 해석한다. 문맥에 따라 '~하고 나서', '~했기 때문에[했으므로]' 등으로 해석한다.

어법 분사구문의 시제가 주절의 시제와 같으면 분사구문은 현재분사(v-ing)로 시작하므로, 이를 완료형 분사구문과 구별할 수 있어야 한다.

🔍 다음 밑줄 친 부분에 유의하여 문장을 해석하시오.

1 <u>Having quit smoking,</u> he started exercising.

2 <u>Not having brought the ticket,</u> she is embarrassed.

3 <u>Having washed the car,</u> I noticed a small scratch on the front door.

4 People are really hungry, <u>not having eaten all day long.</u> 🔑

🔒 **해석의 Key**
분사구문은 문장의 앞이나 중간, 또는 뒤에 위치할 수 있다.

5 <u>Having spent his childhood in New York,</u> he can speak English well.

어법 다음 괄호 안에서 가장 알맞은 말을 고르고, 문장을 해석하시오.

6 [Taking / Having taken] a shower, he entered the dining room.

□ **quit** 그만두다
□ **embarrassed** 당황한, 난처한
□ **notice** 알아차리다
□ **scratch** 긁힌 자국
□ **childhood** 어린 시절
□ **dining room** 식당
□ **immediately** 바로, 즉시

7 [Having met / Meeting] her before, I recognized her immediately.

Answer p.18

그 소리에 놀라서   그는 창문 밖을 바라보았다
Being frightened by the noise, | he looked out the window.
수동형 분사구문   주절

• 「Being p.p.」로 시작하는 분사구문은 수동의 의미로 해석한다. 분사구문의 주어가 동작이나 행위의 대상이 될 때 이러한 형태가 된다.

어법 분사구문의 시제가 주절의 시제보다 앞서면서 분사구문의 의미가 수동일 때 「Having been p.p.」의 형태로 쓴다.

Q 다음 밑줄 친 부분에 유의하여 문장을 해석하시오.

1 Being given an invitation, you can attend this event.

2 Surrounded by the crowd, she probably did not hear the cry.

해석의 Key
분사구문에서 Being이나 Having been은 생략할 수 있다.

3 Not prepared for the test, I couldn't answer the questions.

4 Having been written in simple English, the book was easy to read.

어법 다음 괄호 안에서 가장 알맞은 말을 고르고, 문장을 해석하시오.

5 [Having been run / Being run] over by a car last night, he can't be with us now.

6 [Having bitten / Having been bitten] by a dog as a child, he is afraid of dogs.

□ invitation 초대장
□ attend 참가하다
□ surround 둘러싸다
□ crowd 군중
□ probably 아마
□ prepare 준비시키다
□ run over (사람·동물을) 치다
□ bite 물다

Answer p.18

101

유사 분사구문이 쓰인 문장 읽기

나의 아버지는 항상 앉았다   다리를 꼰 채로

My father has always sat │ with his legs crossed.
주절   유사 분사구문

- 「with＋(대)명사＋분사[형용사]」는 주로 주절의 일과 동시에 일어나는 배경적 상황을 나타내며, '~가[를] …한[된] 채로', '~가 …할 때'로 해석한다.

  어법 「with＋(대)명사＋분사」 구문에서 (대)명사와 분사의 관계가 능동이면 현재분사를, 수동이면 과거분사를 사용한다.

🔍 다음 밑줄 친 부분에 유의하여 문장을 해석하시오.

1 He stared at the sky <u>with his mouth open</u>.

> 🔒 **해석의 Key**
>
> with 뒤에 오는 (대)명사와 분사[형용사]를 주어-주격 보어의 관계로 이해하고 해석한다.

↪

2 He talked to me <u>with his back leaning</u> against the wall.

↪

3 I was driving down the highway <u>with the radio turned on</u>.

↪

4 He stood <u>with his legs wide apart</u>.

↪

5 You may be uncomfortable <u>with other people too close to you</u>.

↪

어법 다음 괄호 안에서 알맞은 말을 고르고, 문장을 해석하시오.

6 She listened to the music with her eyes [closed / closing].

↪

7 Kenny prepared dinner with his wife [sleeping / slept] on the sofa.

↪

- [ ] **lean against** ~에 기대다
- [ ] **highway** 고속도로
- [ ] **wide apart** 넓게 벌린
- [ ] **uncomfortable** 불편한

네모 어법 **A** 다음 문장의 네모 안에서 어법상 알맞은 것을 고르시오.

01 I was so / such busy that I could not pay him a visit. ↻ skill 50

02 Knowing not / Not knowing what to say, I stood there. ↻ skill 52

03 Awarded / Awarding the prize, he made an acceptance speech. ↻ skill 54

04 She looked at me with tears rolling / rolled down her cheeks. ↻ skill 55

05 Not having met / Not meeting me before the class, she doesn't ↻ skill 53

know about me.

보기 선택 **B** 다음 문장에서 밑줄 친 부분의 의미를 보기에서 골라 기호를 쓰시오. ↻ skill 51, 52, 54

보기 ⓐ 동시동작(~하면서)   ⓑ 이유(~해서)

01 Sandra was wearing makeup, humming a melody.

02 Hearing a strange sound, he stopped walking and looked back.

03 Bothered by mosquitoes, I couldn't concentrate on my work.

04 He was reading a book in his chair, shaking his leg.

05 Being well known to people, the spot is always crowded with many

tourists.

A pay a visit 방문하다   award 수여하다, 주다   acceptance speech 수상 소감   roll down 흘러내리다   cheek 볼, 뺨
B wear makeup 화장하다   hum 흥얼거리다   bother 신경 쓰이게 하다   mosquito 모기   concentrate on ~에 집중하다
spot 장소   crowded 붐비는

해석완성 **C** 다음 문장에서 분사구문에 밑줄을 긋고, 우리말 해석을 완성하시오.

01 Cleaning his house, he found a photo album in a box. ↪ skill 51

> 그의 집을 _____.

02 Being angry at my words, he didn't answer my questions at all. ↪ skill 52

> 내 말에 _____.

03 Not having finished the homework, he had to do it overnight. ↪ skill 53

> 숙제를 _____.

04 Seen from the plane, the mountain was covered with autumn leaves. ↪ skill 54

> 비행기에서 _____.

어순배열 **D** 다음 우리말과 일치하도록 괄호 안의 말을 바르게 배열하시오.

01 그들은 곤충이 날아갈 수 없도록 그것을 가두었다.
(the insect, it, fly away, they, so that, trapped, could not) ↪ skill 49

> _____

02 그것은 너무 어려운 시험이어서 나는 완전히 녹초가 되었다.
(it, completely exhausted, a, difficult, was, exam, such, that, I, was) ↪ skill 50

> _____

03 그 집을 구매한 후에 우리는 그것을 흰색으로 페인트칠했다. (조건: 분사구문은 맨 앞에 쓸 것)
(the house, white, painted, having bought, we, it) ↪ skill 53

> _____

04 그는 자신의 부츠에 진흙을 잔뜩 묻힌 채로 내게 다가오고 있었다. (조건: 분사구문은 주절 뒤에 쓸 것)
(his boots, he, in mud, was approaching, me, with, covered) ↪ skill 55

> _____

C overnight 밤사이에 cover 덮다, 가리다
D insect 곤충 trap 가두다 completely 완전히 exhausted 녹초가 된 mud 진흙 approach 다가오다

CHAPTER 10

강조 · 부정 · 도치
특수 문장

● **강조**

문장의 특정 어구를 강조하기 위해, 위치를 옮기거나 강조어구, 강조구문을 사용한다.

● **부정**

'~않다/아니다'라는 뜻의 부정문을 표현하기 위해, 부정의 의미를 가진 어구(not, never, hardly 등)를 사용한다.

● **도치**

문장 내의 부정어(구)나 부사(구) 등을 강조하려고 문장의 첫머리에 두면, 주어와 동사의 순서가 서로 바뀐다.

특정 어구를 강조하는 문장 읽기

바로 Jack이었다   지난주에 시카고에서 Jane을 만났던 사람은

It was Jack | that met Jane in Chicago last week.

동사 met의 주어인 Jack을 강조

- 「It is[was] … that ~」 강조 구문: 문장에서 강조하고자 하는 말을 It is[was]와 that 사이에 넣고, 나머지 부분은 that 다음에 그대로 쓰는 것으로, '~한 것은 바로 …이다[였다]'로 해석한다.
- It is[was]와 that 사이에 주어, 목적어, 부사(구) 등을 넣어 강조할 수 있다. 단, 동사는 강조할 수 없다.

어법 강조하는 대상이 사람/사물/시간/장소일 경우, that 대신에 각각 who(m)/which/when/where를 쓸 수 있다.

🔍 다음 밑줄 친 부분에 유의하여 문장을 해석하시오.

1 It is my mother that I want to see most at this moment.

⇨

2 It is a toy that can develop young children's creativity.

⇨

3 It was a week ago that she heard of her father's illness.

⇨

4 It was in the living room that I hung a photo of my family.

⇨

5 It was he that told the truth to your parents.

⇨

어법 다음 괄호 안에서 알맞은 말을 모두 고르고, 문장을 해석하시오.

6 It was last year [which / that / when] my father built our house.

⇨

7 It was flowers [which / that / when] she brought from the fields.

⇨

🔒 **해석의 Key**

강조 구문이 쓰인 문장은 it이 가주어이고 that 이하가 진주어인 문장('~하다는[라는] 것은 …이다')과 구별하여 해석해야 한다.

☐ **moment** 순간, 잠깐
☐ **develop** 발달시키다
☐ **creativity** 창의력, 독창성
☐ **illness** 질병
☐ **living room** 거실
☐ **hang** 걸다, 매달다
☐ **truth** 진실
☐ **field** 들판

     Answer p.19

우리 중 아무도 ~ 못한다　　　　　운전하는 법을 알지
None of us │ know how to drive.
주어(전체부정)　　　　　동사

• 다음은 문장의 내용 전체를 부정하는 표현이다.

no ···, none, nobody	아무(···)도 ~않다
neither	둘 다 ~않다
never, not ~ at all	결코[전혀] ~않다

어법 「neither of + 명사」가 주어로 쓰일 경우, 명사의 수와 관계없이 항상 단수 동사가 온다.

🔍 다음 밑줄 친 부분에 유의하여 문장을 해석하시오.

1 None of the students on board were injured.

2 No vegetables are included with this meal.

3 I called the waiter many times, but he never came.

4 I get nervous, and can't speak even a word at all.

🔒 **해석의 Key**

none은 '아무도 ~않다'라는 뜻의 대명사이고, no는 '어떤 ~도 아닌[없는]'이라는 뜻의 형용사이다.

어법 다음 괄호 안에서 알맞은 말을 고르고, 문장을 해석하시오.

5 Neither of them [is /are] interested in your project.

6 Neither of you [has / have] given me any hint as to what happened.

☐ on board 탑승한
☐ injured 부상을 당한
☐ include 포함하다
☐ nervous 긴장한
☐ project 사업, 프로젝트
☐ hint 정보, 힌트, 암시
☐ as to ~에 관해서는

Answer p.20

107

모든 변화가 ~ 것은 아니다   좋은

Not all change | is good.

주어(부분부정)   동사

• 다음은 문장의 내용 중 일부만 부정하고 일부는 긍정하는 표현이다.

not all[every]	모두 ~한 것은 아니다	not both	둘 다 ~한 것은 아니다
not always	항상 ~한 것은 아니다	not necessarily	반드시 ~한 것은 아니다

어법 all, both가 포함된 표현이 주어일 때는 복수 취급을 하지만, every가 포함된 표현이 주어일 때는 단수 취급을 한다.

🔍 다음 밑줄 친 부분에 유의하여 문장을 해석하시오.

1 You don't need to understand <u>all</u> of the details.

2 <u>Not every</u> remedy involves new technology.

3 He can<u>not</u> do <u>both</u> roles because of time constraints.

4 The media does <u>not always</u> convey the truth.

5 Wealth does <u>not necessarily</u> mean happiness.

어법 다음 괄호 안에서 알맞은 말을 고르고, 문장을 해석하시오.

6 Not every man [is / are] born with a silver spoon in his mouth.

7 Not all pictures [was / were] deleted from your device.

□ detail 세부사항
□ remedy 해결책, 치료
□ involve 필요로 하다, 관련시키다
□ technology 기술
□ constraint 제약
□ media 매체, 미디어
□ convey 전달하다, 나르다
□ delete 삭제하다
□ device 장치, 기구

그는 단 한 마디 말도 하지 않았다   그 회의에서

Not a single word did he say | at the meeting.
부정어구 + 조동사 + 주어 + 동사원형

- 부정어(not, never, little, hardly, rarely 등)를 포함한 어구가 문장 맨 앞에 나올 때, 반드시 주어와 동사의 순서가 바뀐다. 이때 어순만 바뀔 뿐 해석은 크게 달라지지 않는다.

어법 도치가 일어나면 사용된 동사에 따라 문장은 「부정어(구) + be동사 + 주어~」나 「부정어(구) + 조동사 + 주어 + 동사원형 ~」 의 형태가 된다.

🔍 다음 밑줄 친 부분에 유의하여 문장을 해석하시오.

1 <u>Not only</u> is she beautiful, <u>but also</u> intelligent.

　⤵

2 <u>Never</u> will I do such a stupid thing again.

　⤵

3 <u>Little</u> did I know that he was recording a video.

　⤵

4 <u>Hardly</u> do I see her at the school library.

　⤵

5 <u>Rarely</u> have I read such a totally incorrect article.

　⤵

해석의 Key
- 「not only A but (also) B」: A 뿐만 아니라 B도
- little, hardly: 거의 ~ 아니다[없다]
- rarely: 좀처럼 ~않다

어법 다음 괄호 안에서 알맞은 말을 고르고, 문장을 해석하시오.

6 Not only [was / did] he a good cook, but he also ran the business.

　⤵

7 Hardly [can / am] I keep my eyes open due to the strong sunlight.

　⤵

□ **intelligent** 똑똑한, 지적인
□ **record** 녹화[녹음]하다
□ **totally** 완전히, 아주
□ **incorrect** 부정확한
□ **article** 기사
□ **run** (사업체를) 운영[관리] 하다
□ **business** 사업
□ **due to** ~ 때문에
□ **sunlight** 햇빛

Answer p.20

언덕 위에　서 있다　오래된 성이

On the hill | stands | an old castle.

부사구　동사　주어

- 장소나 방향을 나타내는 부사(구)가 문장 맨 앞에 나오면 주어와 동사의 순서가 바뀔 때가 많다. 이때 어순만 바뀔 뿐 해석은 크게 달라지지 않는다.

어법 도치가 일어나면 문장은 「부사(구) + 동사 + 주어~」 형태가 되며, 주어가 대명사인 경우 도치는 일어나지 않는다.

🔍 다음 밑줄 친 부분에 유의하여 문장을 해석하시오.

1 <u>Right over my head</u> passed a model airplane.

⇨

2 <u>On the table beside the bed</u> were several wine bottles.

⇨

> **🔒 해석의 Key**
> beside the bed는 명사 the table을 수식하는 전치사구이다.

3 <u>Here and there over the grass</u> were beautiful flowers.

⇨

4 <u>On the right side of the picture</u> is Lake Como.

⇨

5 <u>Up and down on the sofa</u> bounced the children.

⇨

어법 다음 괄호 안에서 알맞은 말을 고르고, 문장을 해석하시오.

6 Across the river [sits a house / a house sits] with a big yard.

⇨

7 At the corner of the street [she sold / sold she] rice cakes.

⇨

□ **pass** 지나가다, 통과하다
□ **model airplane** 모형 비행기
□ **several** 몇몇의
□ **grass** 잔디(밭)
□ **lake** 호수
□ **bounce** 깡충깡충 뛰다
□ **yard** 마당
□ **corner** 모퉁이
□ **rice cake** 떡

Answer p.20

A 다음 문장의 네모 안에서 어법상 알맞은 것을 고르시오.

01 It was fear that / when first made gods in the world.   ↻ skill 56

02   Not / None of the students are absent.   ↻ skill 57

03 Not every child is / are able to eat breakfast at home.   ↻ skill 58

04 Never again will I / I will stay up so late.   ↻ skill 59

05 From the north came a warrior / a warrior came .   ↻ skill 60

B 다음 문장에서 밑줄 친 부분의 쓰임을 보기 에서 골라 기호를 쓰시오.   ↻ skill 57, 58

보기   ⓐ 전체부정   ⓑ 부분부정

01 Neither of her parents allowed her to have a puppy.

02 Low prices do not necessarily mean low quality.

03 Most of the staff didn't speak Chinese at all.

04 He never misses an opportunity to learn from others.

05 The man could not save both of them.

A fear 두려움 absent 결석한 stay up late 늦게까지 깨어 있다 north 북부, 북쪽 warrior 전사
B allow 허락하다 price 가격 quality 품질, 고급 Chinese 중국어 miss 놓치다 opportunity 기회

C 다음 밑줄 친 부분에 유의하여 우리말 해석을 완성하시오.

01 It was these people that built the longest bridge in the world. ↪ skill 56

세계에서 _____.

02 A good script does not always lead to a good movie. ↪ skill 58

좋은 대본이 _____.

03 Rarely does she wear dresses or skirts. ↪ skill 59

그녀는 _____.

04 On the river bank is a man with a fishing rod. ↪ skill 60

강둑 위에 _____.

D 다음 우리말과 일치하도록 괄호 안의 말을 바르게 배열하시오.

01 경찰에 말한 사람은 바로 그의 아내였다.
(his wife, it was, told, the police, that) ↪ skill 56

02 그는 그것을 거절할 용기를 전혀 갖고 있지 않았다.
(the courage, he, at all, didn't have, to refuse it) ↪ skill 57

03 나는 단 한 소절도 노래하길 원하지 않았다! (조건: 부정어구를 문장 맨 앞에 둘 것)
(did, a single thing, I, want to sing, not) ↪ skill 59

04 그는 땅 속으로 막대기를 밀어 넣었다. (조건: 부사구를 문장 맨 앞에 둘 것)
(into, pushed, he, a pole, the ground) ↪ skill 60

C bridge 다리 script 대본 lead to ~로 이어지다 bank 둑, 제방 fishing rod 낚싯대
D courage 용기 refuse 거절하다 pole 막대기

WORKBOOK

Answer p.22

A 다음 영어를 우리말로 쓰시오.

01 obvious
02 effort
03 judgment
04 evidence
05 deal with
06 pursue
07 communication
08 debate
09 community
10 personality
11 cigarette
12 disappointing
13 clear
14 succeed
15 unclear
16 discuss
17 confidence
18 technology
19 attitude
20 prediction

B 다음 우리말을 영어로 쓰시오.

01 해로운
02 의심하다
03 영향을 미치다
04 확산되다, 퍼지다
05 발견하다
06 신체적인
07 연결하다
08 처리하다, 다루다
09 관심사
10 경제
11 개최되다
12 두려움
13 영역, 지역
14 첨가하다, 더하다
15 초래[유발]하다
16 정신적인
17 알려지지 않은
18 존재하다
19 제안
20 돌아가시다

명사절

개념 Review

Answer p.22

A 맞는 설명에는 ○, 틀린 설명에는 ×를 하시오.

01 명사절인 that절이 주어 역할을 하는 경우 단수 취급을 한다.   [   ]

02 의문사절은 「의문사＋동사＋주어 ～」의 어순으로 나타낸다.   [   ]

03 관계대명사 what이 이끄는 절은 명사를 수식하는 형용사절이다.   [   ]

04 "I'll see how it sounds."에서 how it sounds는 '소리가 어떤지'로 해석한다. [   ]

05 "I don't know if it is true"에서 if it is true는 '그것이 사실이라면'으로 해석한다. [   ]

B 다음 문장의 네모 안에서 어법상 알맞은 것을 고르시오.

01 The news that they broke off their marriage was / were surprising.

02 The important thing is who you will / will you vote for.

03 Please tell me when / whether you like coffee or tea.

04   What / That you need to know is that I'm basically a shy person.

05   If / Whether you accept it or not doesn't matter.

C 다음 밑줄 친 부분을 바르게 고치시오.

01 My opinion is <u>what</u> she is too picky.

02 Living without you is <u>that</u> makes me scared.

03 That happiness depends on ourselves <u>are</u> true in many cases.

04 I wonder <u>what</u> Martin will show up for the appointment.

05 I don't even remember <u>that</u> we bought.

해석 Practice ①

🔍 다음 문장에서 명사절에 밑줄을 긋고, 명사절을 해석하시오.

01 The important thing is that you tried something new.   skill 01
⤷

02 I know that she was once a famous pianist.   skill 01
⤷

03 That she won the marathon in the Olympics is surprising.   skill 01
⤷

04 We acknowledge the fact that our building is quite old.   skill 01
⤷

05 It is certain that loneliness brings deep emotional pain.   skill 01
⤷

06 The belief that he can make it gives him courage.   skill 01
⤷

07 That my grandparents had a car accident shocked me.   skill 01
⤷

08 I suggested that he should stay here for a while.   skill 01
⤷

09 The trouble with him is that he gets easily excited.   skill 01
⤷

10 I think that we need to make a new energy policy.   skill 01
⤷

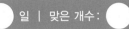

Answer p.22

Workbook

11 Whether they are alive is not yet clear.   *skill 02*

12 I had to check if he was making any mistakes.   *skill 02*

13 I want to know whether the hotel is located near downtown.   *skill 02*

14 Whether your answer is right or wrong doesn't matter.   *skill 02*

15 I am not sure whether she is interested in me.   *skill 02*

16 The debate was about whether we should be able to study at cafés.   *skill 02*

17 Dogs can sense whether a person is lying or telling the truth.   *skill 02*

18 He cannot decide if he will get married with her.   *skill 02*

19 Today's topic is whether fruit juices are good for children.   *skill 02*

20 I don't care whether you join us on our trip.   *skill 02*

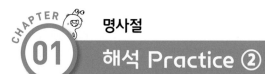
🔍 다음 문장에서 명사절에 밑줄을 긋고, 명사절을 해석하시오.

01 It is unclear how serious his injury is.   skill 03

⇨

02 I have no idea what this word means.   skill 03

⇨

03 Who painted this picture is still unknown.   skill 03

⇨

04 Why the dinosaurs died out is one of the biggest mysteries.   skill 03

⇨

05 How you treat others affects your relationship with them.   skill 03

⇨

06 I am wondering where I can find the information.   skill 03

⇨

07 I did not know whom I should thank for the birthday gift.   skill 03

⇨

08 In science class, I learned who made the first electric clock.   skill 03

⇨

09 Michael told me where his office moved to.   skill 03

⇨

10 The kids were arguing over which TV program they should watch.   skill 03

⇨

Workbook

Answer p.22

11 You will not believe what I found in your room.   skill 04

12 What I experienced in a dream remains in my memory.   skill 04

13 All participants should bring what they might need.   skill 04

14 What I discovered was a small bird with a yellow tail.   skill 04

15 This is what we didn't want to happen.   skill 04

16 What's important when studying is to use a dictionary.   skill 04

17 I tried to understand what he was saying.   skill 04

18 They finally agreed to what he suggested.   skill 04

19 Writing about cooking on her blog is what makes her happy.   skill 04

20 What I need most now is to get enough rest.   skill 04

단어 Review

Answer p.23

A 다음 영어를 우리말로 쓰시오.

01 spot		11 nest	
02 parade		12 bark	
03 hang		13 chef	
04 temple		14 necklace	
05 invention		15 wheel	
06 ancient		16 destroy	
07 volcano		17 subject	
08 apron		18 backyard	
09 emotion		19 get caught	
10 mosquito		20 microphone	

B 다음 우리말을 영어로 쓰시오.

01 고객		11 길	
02 정장		12 약	
03 연구실		13 ~을 가리키다	
04 정문		14 오리	
05 농장		15 발표하다	
06 어리석은		16 실수	
07 인도		17 쭉 펴다, 늘이다	
08 실망한		18 부주의한	
09 마음을 끌다		19 갑작스러운	
10 편리한		20 신용카드	

개념 Review

Answer p.23

A 맞는 설명에는 ○, 틀린 설명에는 ×를 하시오.

01 현재분사구가 수식하는 명사가 문장의 주어일 때 동사는 명사에 수를 일치시킨다. [   ]

02 명사와 수식하는 분사와의 관계가 수동이면 현재분사를 쓴다. [   ]

03 to부정사의 부정은 「to＋not[never]＋동사원형」으로 나타낸다. [   ]

04 "He has a house to live in."에서 to live in은 '살기 위하여'라고 해석한다. [   ]

05 "The man reading a book looks nice."에서 reading은 '읽고 있는'이라고 해석한다.

[   ]

B 다음 문장의 네모 안에서 어법상 알맞은 것을 고르시오.

01 Firefighters put out the fire | burning / burned | trees in the mountain.

02 I found a piece of paper | to write / to write on | .

03 I try | not to pay / to not pay | attention to rumors.

04 There are so many beautiful places | to visit / to visit in | .

05 The windows broken by somebody | was / were | not repaired.

C 다음 밑줄 친 부분을 바르게 고치시오. (단, 시제는 유지할 것)

01 People talking loudly behind us at the movie theater <u>makes</u> us angry.

02 This would be the perfect dress <u>wear</u> to a New Year's Eve party.

03 We got up early <u>to not miss</u> the first train to Washington.

04 There were many books <u>throwing away</u> in the trash can.

05 He will have many friends <u>to play</u>.

Workbook

🔍 다음 밑줄 친 부분에 유의하여 문장을 해석하시오.

01 Look at the stars <u>shining bright above you</u>.   skill 05

⇨

02 There was a man <u>standing at the station</u>.   skill 05

⇨

03 There are birds <u>flying in circles outside my apartment building</u>.   skill 05

⇨

04 There is a beautiful river <u>running through the city</u>.   skill 05

⇨

05 The candles <u>burning on the desk</u> are beautiful.   skill 05

⇨

06 It is really scary to see a ship <u>sinking in the sea</u>.   skill 05

⇨

07 You'll find people <u>holding signs on those corners</u>.   skill 05

⇨

08 I just passed a man <u>walking a pet in the park</u>.   skill 05

⇨

09 This is a photo of a man <u>reading a newspaper alone on the sidewalk</u>.   skill 05

⇨

10 The girl <u>wearing a yellow raincoat</u> is my granddaughter.   skill 05

⇨

Answer p.23

Workbook

11 Look at the mountain <u>covered with clouds</u>.   *skill 06*

⤷

12 That car <u>broken by someone</u> is mine.   *skill 06*

⤷

13 A sewing machine is a machine <u>used to stitch fabric</u>.   *skill 06*

⤷

14 Laws of nature differ from laws <u>made by man</u>.   *skill 06*

⤷

15 I bought a book <u>written in Chinese</u>.   *skill 06*

⤷

16 I made a list of all the people <u>invited to the event</u>.   *skill 06*

⤷

17 *Boy <u>Bitten by a Lizard</u>* is a painting by the Italian painter Caravaggio.   *skill 06*

⤷

18 She wants to own a house <u>painted white</u>.   *skill 06*

⤷

19 Most soldiers <u>wounded in the war</u> couldn't come back home.   *skill 06*

⤷

20 All the drinks <u>created by the company</u> taste great.   *skill 06*

⤷

해석 Practice ②

🔍 다음 문장에서 수식어구에 밑줄을 긋고, 문장을 해석하시오.

01 I have a few tasks to take care of.
skill 07

⇨

02 I bought a leather sofa to sit on for my living room.
skill 07

⇨

03 Do you have a pen to write with?
skill 07

⇨

04 The clerk is preparing a bag to put the food in.
skill 07

⇨

05 Neil Armstrong was the first man to walk on the moon.
skill 07

⇨

06 The best time to visit Costa Rica is January after the holiday season.
skill 07

⇨

07 You are the best man to do this project.
skill 07

⇨

08 I bought some postcards to send to friends and family.
skill 07

⇨

09 It's a good short writing to read when you are bored.
skill 07

⇨

10 We have a variety of problems to solve each day.
skill 07

⇨

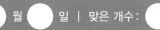

Workbook

11 The kids were so delighted to get their Christmas gifts.　*skill 08*

↪

12 I was surprised to learn the results of the study.　*skill 08*

↪

13 You are foolish to ignore his suggestions.　*skill 08*

↪

14 He woke up to find himself in a strange place.　*skill 08*

↪

15 You must be too tired to care for your siblings.　*skill 08*

↪

16 The teacher opened the window to get fresh air in the classroom.　*skill 08*

↪

17 He studied hard, only to fail the exam again.　*skill 08*

↪

18 He was so disappointed to miss the sunrise.　*skill 08*

↪

19 Mount Everest is hard to climb.　*skill 08*

↪

20 The fish caught by him is safe to eat.　*skill 08*

↪

Answer p.24

A 다음 영어를 우리말로 쓰시오.

01	shed	11	oppose
02	suitcase	12	vote
03	stuff	13	unacceptable
04	lawyer	14	treat
05	gardening	15	engineer
06	adopt	16	throw
07	blow	17	vacation
08	invite	18	pilot
09	break out	19	bloom
10	fate	20	political

B 다음 우리말을 영어로 쓰시오.

01	재정적인	11	의미하다
02	신경을 쓰다	12	신뢰하다
03	처벌하다	13	나오다
04	분명히	14	전기의
05	전문적인	15	기술
06	~을 실망시키다	16	당황스러운
07	공유하다	17	미술관
08	받다	18	비싼
09	머무르다	19	전통적인
10	편안한	20	접근하다

Workbook

Answer p.24

A 맞는 설명에는 ○, 틀린 설명에는 ×를 하시오.

01 주격 관계대명사절 내의 동사는 선행사와 수를 일치시킨다. [   ]

02 앞 문장 전체나 일부를 선행사로 취할 수 있는 관계대명사는 that이다. [   ]

03 복합관계부사 however는 명사절과 양보의 부사절로 쓰인다. [   ]

04 "We can talk whenever you want."에서 whenever는 '무엇이든'이라고 해석한다. [   ]

05 "I like the way you teach."에서 the way you teach는 '당신이 가르치는 방법'이라고 해석한다.

[   ]

B 다음 문장의 네모 안에서 어법상 알맞은 것을 고르시오.

01 You can help children who feel / feels unsafe with us.

02 The children whom / with whom I played yesterday were very nice.

03 She has a daughter, who / that is a pianist.

04 Let me know the way in which / that I can use this computer.

05 You can use it whenever / however you want to.

C 다음 밑줄 친 부분을 바르게 고치시오.

01 One event, which play a significant role in the novel, is Jack's death.

02 This is something which we need to have a debate.

03 Do you know anyone whoever can translate German into Korean?

04 April is the month where leaves turn green.

05 However it takes long, I'll never forget those words.

해석 Practice ①

🔍 다음 문장을 밑줄 친 부분에 유의하여 우리말로 해석하시오.

01 He lives with his mother who is 90 years old. *skill 09*

⇨

02 We need a pilot who can fly a plane. *skill 09*

⇨

03 These are products which do not appeal to children. *skill 09*

⇨

04 We shouldn't use plastic bags which take a long time to decay. *skill 09*

⇨

05 The director who made this movie is my uncle. *skill 09*

⇨

06 Employees that are satisfied with their job work harder. *skill 09*

⇨

07 I want to buy a folding bicycle which can be easily carried. *skill 09*

⇨

08 She is the woman with whom I worked. *skill 10*

⇨

09 This is the limited edition book which I really wanted to have. *skill 10*

⇨

10 This is the news which I heard this morning. *skill 10*

⇨

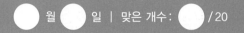
 Answer p.24

11 My younger brother destroyed the frame <u>that I bought last week.</u>
skill 10

⇨

12 Jack is my friend <u>with whom I go to the movies.</u>
skill 10

⇨

13 This is the name <u>with which the user was registered.</u>
skill 10

⇨

14 People <u>with whom I negotiate</u> know me as a peacemaker.
skill 10

⇨

15 I have friends <u>whose jobs are pharmacists.</u>
skill 11

⇨

16 I know the man <u>whose hobby is collecting coins.</u>
skill 11

⇨

17 It's the house <u>whose door is painted blue.</u>
skill 11

⇨

18 He's a man <u>whose opinion I respect.</u>
skill 11

⇨

19 The man <u>whose car was stolen</u> called the police.
skill 11

⇨

20 I picked up a book <u>whose cover caught my attention.</u>
skill 11

⇨

Workbook

해석 Practice ②

🔍 다음 문장에서 관계부사절을 찾아 밑줄을 긋고, 문장을 우리말로 해석하시오.

01 This is the time when we talk about gun regulation.   skill 12

> ⇨

02 That was the year when I was selected as captain.   skill 12

> ⇨

03 I will never forget the day when he saved my life.   skill 12

> ⇨

04 April is the month when the professional baseball season begins.   skill 12

> ⇨

05 The year 2010 was the year when I opened my restaurant in New York.   skill 12

> ⇨

06 This is the place where the sea meets the land.   skill 12

> ⇨

07 This corner was the place where the kitten was abandoned.   skill 12

> ⇨

08 The resort where I found on the Internet is amazing.   skill 12

> ⇨

09 He came into the empty classroom where I had been waiting for him.   skill 12

> ⇨

10 The playground where the snow had melted was muddy.   skill 12

> ⇨

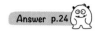

Answer p.24

Workbook

11 This is the reason why I love the cello. *skill 13*

12 There's no reason why I should apologize to you about it. *skill 13*

13 Can you tell me the reason why you were late for school? *skill 13*

14 That is the reason why snow is slippery. *skill 13*

15 There are some reasons why your conscience bothers you. *skill 13*

16 I don't like how you look at me. *skill 13*

17 That's just the way I feel about him. *skill 13*

18 I will never care for anyone the way I care for you. *skill 13*

19 You should not judge people by the way they look. *skill 13*

20 This is how I can describe it. *skill 13*

🔍 다음 문장을 밑줄 친 부분에 유의하여 우리말로 해석하시오.

01 He's thinking about his son, <u>who died in the war.</u>   skill 14

⇨

02 Tom has a 25-year-old daughter, who <u>graduated from Harvard.</u>   skill 14

⇨

03 The name of the book is *Animal Farm*, <u>which was written by George Orwell.</u>   skill 14

⇨

04 I support this proposal, <u>which is very sensible.</u>   skill 14

⇨

05 I loved reading books at dawn, <u>when it's very quiet.</u>   skill 14

⇨

06 It would be better not to drive at night, <u>when most accidents happen.</u>   skill 14

⇨

07 I finally found the small local shop, <u>where I had worked for years.</u>   skill 14

⇨

08 We went to the amusement park, <u>where we had a great time.</u>   skill 14

⇨

09 Olive oil is rich in vitamin K, <u>which plays an important role in blood clotting.</u>   skill 14

⇨

10 We are out of time, <u>which means we are out of options.</u>   skill 14

⇨

Answer p.25

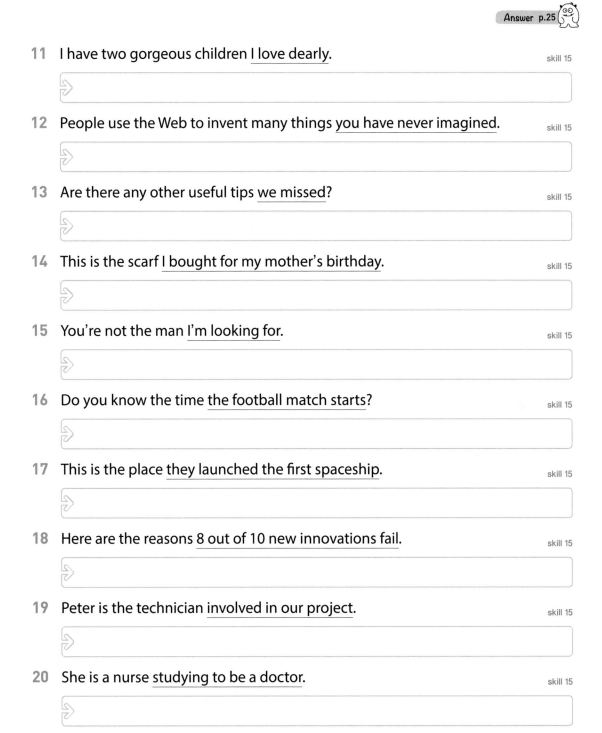

11 I have two gorgeous children I love dearly.　　skill 15

12 People use the Web to invent many things you have never imagined.　　skill 15

13 Are there any other useful tips we missed?　　skill 15

14 This is the scarf I bought for my mother's birthday.　　skill 15

15 You're not the man I'm looking for.　　skill 15

16 Do you know the time the football match starts?　　skill 15

17 This is the place they launched the first spaceship.　　skill 15

18 Here are the reasons 8 out of 10 new innovations fail.　　skill 15

19 Peter is the technician involved in our project.　　skill 15

20 She is a nurse studying to be a doctor.　　skill 15

해석 Practice ④

🔍 다음 문장에서 복합관계사절을 찾아 밑줄을 긋고, 문장을 우리말로 해석하시오.

01 You can tell whoever you want.   skill 16

⇨

02 Whoever cares to learn will always find a teacher.   skill 16

⇨

03 I'll give it to whoever wants it.   skill 16

⇨

04 Whoever wins the race will receive the prize.   skill 16

⇨

05 Whoever wants to work with us, email me now.   skill 16

⇨

06 You can buy whatever you want.   skill 16

⇨

07 Whatever it was, she didn't like it.   skill 16

⇨

08 Whatever happens, I'll always think of you.   skill 16

⇨

09 Make sure whatever you are saying is worth hearing.   skill 16

⇨

10 Whatever he was doing, it wasn't legal.   skill 16

⇨

Answer p.25

11 Drink water whenever you feel thirsty during exercise. *skill 17*

⇨

12 You can leave whenever you want to. *skill 17*

⇨

13 Whenever I feel sad, I listen to music. *skill 17*

⇨

14 I always feel uncomfortable whenever I make a speech in front of people. *skill 17*

⇨

15 You can get off wherever you want. *skill 17*

⇨

16 Wherever you go, there is no place like home. *skill 17*

⇨

17 Wherever he is, I hope he will be happy. *skill 17*

⇨

18 However tired he is, he writes in his diary before going to bed. *skill 17*

⇨

19 However hard you listen, you will never understand. *skill 17*

⇨

20 However long it takes, I am going to speak English like a native. *skill 17*

⇨

단어 Review

Answer p.26

A 다음 영어를 우리말로 쓰시오.

01	ancient		11	desert	
02	resist		12	discourage	
03	get promoted		13	be up to	
04	obvious		14	accept	
05	uncertain		15	bother	
06	response		16	graduation	
07	document		17	briefcase	
08	approach		18	deceive	
09	predict		19	evidence	
10	support		20	theory	

B 다음 우리말을 영어로 쓰시오.

01	차량, 탈것		11	형성하다	
02	실패		12	제안	
03	수수께끼		13	~에 달려 있다	
04	관점, 견해		14	능력	
05	유용한		15	미리, 먼저	
06	잔인한		16	도착[도달]하다	
07	쉬다		17	낙타	
08	마술적인		18	영향을 미치다	
09	끔찍한		19	~를 처리하다	
10	청각 장애가 있는		20	가지고 다니다	

Answer p.26

A 맞는 설명에는 ○, 틀린 설명에는 ×를 하시오.

01 문장의 주어는 전치사구, to부정사구 등의 수식을 받아 길어질 수 있다.   [   ]

02 접속사 that이 이끄는 절이 주어로 쓰일 경우 항상 단수 취급한다.   [   ]

03 접속사 whether가 이끄는 절이 주어일 때, '~하다는[라는] 것은'으로 해석한다.   [   ]

04 "It is certain that he will succeed."에서 진주어는 it이다.   [   ]

05 "Where we stay doesn't matter."에서 Where we stay는 '우리가 어디서 머무는지'으로
    해석한다.   [   ]

B 다음 문장의 네모 안에서 어법상 알맞은 것을 고르시오.

01 The rooms in this hotel is / are large with a private bathroom.

02 It / Whether you will get married is a matter of personal choice.

03 That / Who you invite is as important as the food you serve.

04 What / That you saw is close to the truth.

05 That / It is not easy for me to express my feelings in writing.

C 다음 밑줄 친 부분을 바르게 고치시오.

01 Someone who moves from place to place are called a nomad.

02 What he would do so is not a surprise to anyone.

03 What you think don't interest me at all.

04 It is smart for you to ask me this brilliant question.

05 This is known that most of an iceberg is below the water.

해석 Practice ①

🔍 다음 문장에서 주어와 동사 사이에 / 표시하고, 문장을 해석하시오.

01 Such efforts to reduce environmental pollution are new. *skill 18*

⇨

02 The only woman to receive two Nobel Prizes is Marie Curie. *skill 18*

⇨

03 The people waiting for hours looked tired from the heat. *skill 18*

⇨

04 The man standing next to me handed a note to me. *skill 18*

⇨

05 Most of the people invited to the party were neighbors. *skill 18*

⇨

06 The computer repaired by an engineer is broken again. *skill 18*

⇨

07 The view from the top floor of the hotel was wonderful. *skill 18*

⇨

08 There was a great deal of competition between the two teams. *skill 18*

⇨

09 The river which flows through London is called the Thames. *skill 18*

⇨

10 The only thing that I can say is "Enjoy it while you can." *skill 18*

⇨

Answer p.26

11 That his painting style was influenced by African style is obvious. *skill 19*

12 That he can breathe without assistance is not true. *skill 19*

13 That she refused my suggestions embarrassed me. *skill 19*

14 That he won first place in the speech contest is unbelievable. *skill 19*

15 That a lot of companies have too many meetings is certain. *skill 19*

16 Whether it is a fact or rumor is uncertain. *skill 19*

17 Whether she agrees with our plan is another matter. *skill 19*

18 Whether there's life on Mars has been a popular subject for scientists. *skill 19*

19 Whether he will succeed is a question that I can't answer. *skill 19*

20 Whether there is any damage to the car should be checked. *skill 19*

해석 Practice ②

🔍 다음 문장에서 (진)주어에 밑줄을 긋고, 문장을 해석하시오.

01 Who will take part in the meeting is not important.

skill 20

⇨

02 Why he needs that much money is a secret.

skill 20

⇨

03 Where you live tells a lot about who you are.

skill 20

⇨

04 When he will retire is not known to us.

skill 20

⇨

05 How he survived the storm is still a mystery.

skill 20

⇨

06 What I think is different from other people's opinions.

skill 20

⇨

07 What bothers me most is the noise by my neighbors who live upstairs.

skill 20

⇨

08 What you will learn in this book is how to choose your job wisely.

skill 20

⇨

09 What she worries about is her husband's health.

skill 20

⇨

10 What you are going to eat is healthy local food.

skill 20

⇨

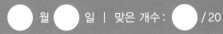
 Answer p.26

Workbook

11 It is not safe for you to walk alone at night.   *skill 21*

12 It is necessary for him to make a wise decision.   *skill 21*

13 It is kind of you to give me another chance.   *skill 21*

14 It was foolish of you to send her such an e-mail.   *skill 21*

15 It is easy for her to stand on one leg.   *skill 21*

16 It is certain that he will pass the examination.   *skill 21*

17 It is surprising that the brain only weighs three pounds.   *skill 21*

18 It is impossible that we imagine a modern city without glass.   *skill 21*

19 It is said that Brazil will win the football World Cup.   *skill 21*

20 It is known that there are over half a million words in the English language.   *skill 21*

Answer p.27

A 다음 영어를 우리말로 쓰시오.

01	resolve		11	discover
02	public		12	matter
03	strategic		13	list
04	secret		14	explain
05	autumn		15	believe
06	luck		16	praise
07	clerk		17	consider
08	beneficial		18	relevant
09	consumer		19	convenient
10	false		20	apologize

B 다음 우리말을 영어로 쓰시오.

01	~와 부딪히다		11	가정하다
02	배달하다		12	상업의
03	연금		13	~하곤 하다
04	계좌		14	근본적으로
05	회복하다		15	계획하다
06	보행자		16	주차하다
07	공고문, 안내문		17	들어가다
08	은퇴하다		18	알아차리다
09	유지하다		19	환불하다
10	감사하다		20	궁금하다

개념 Review

Answer p.27

A 맞는 설명에는 ○, 틀린 설명에는 ×를 하시오.

01 목적어를 수식하는 동사가 목적어와의 관계가 수동이면 현재분사를 쓴다. [　　]

02 whether절이 목적어로 쓰인 경우에는 뒤에 확정된 사실이나 의견이 나온다. [　　]

03 to부정사구가 진목적어일 경우에는 「주어＋동사＋it＋목적격 보어＋to부정사」의 형태로 나타낸다.

[　　]

04 "I doubt whether it'll work."에서 whether it'll work는 '그것이 효과가 있는지'라고 해석한다.

[　　]

05 "She wouldn't tell me what he said."에서 what he said는 '그가 말한 것'으로 해석한다.

[　　]

B 다음 문장의 네모 안에서 어법상 알맞은 것을 고르시오.

01 His eyes caught the young clerk | helped / helping | the Italian family.

02 I think | whether / that | his criticism was fair.

03 I found | what / that | I wanted to buy on the website.

04 I still don't know | that / whether | he's planning to come or not.

05 I found | it / that | hard to get a part-time job.

C 다음 밑줄 친 부분을 바르게 고치시오.

01 The aim of this article is to present the problems relating to force and resources.

02 I was wondering that you would like to come to the theater with me.

03 We found it conveniently to leave some cushions in our vehicles.

04 Tell yourself you should forget that happened to you.

05 Body language makes it easier interpret the meaning of your statements.

Workbook

해석 Practice ①

🔍 다음 문장을 밑줄 친 부분에 유의하여 문장을 해석하시오.

01 The city has made efforts to preserve historically significant older buildings. skill 22

02 He made a promise to study harder for the next semester. skill 22

03 Do you know the boy wearing a black shirt over there? skill 22

04 Look at the birds flying across the sky. skill 22

05 These databases contain articles found in magazines and journals. skill 22

06 I entered the room filled with the pink colored balloons. skill 22

07 Jane loves dresses with pockets to put all her little treasures in. skill 22

08 We are looking for a person with enthusiasm, energy, and creativity. skill 22

09 I don't trust people who don't love themselves. skill 22

10 Consequences always follow every decision that we make. skill 22

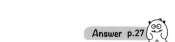

11 I am sorry to hear that you are leaving the company.   skill 23

⇨

12 Experts believe that the coming drought will be extensive.   skill 23

⇨

13 I understand that not all risks can be foreseen.   skill 23

⇨

14 I think that you are truly something special.   skill 23

⇨

15 I guess that he will not show up.   skill 23

⇨

16 You should check whether there is any damage to the cloth before buying it. skill 23

⇨

17 We can't say whether tourism is harmful or beneficial.   skill 23

⇨

18 I want to know whether the hotel is located near the station.   skill 23

⇨

19 They asked us whether we were married.   skill 23

⇨

20 I'm wondering whether you will have the fish or the beef.   skill 23

⇨

해석 Practice ②

🔍 다음 문장에서 목적어(진목적어)를 찾아 밑줄을 긋고, 문장을 해석하시오.

01 I wonder when the show will be over.   skill 24

> ⇨

02 I don't care how much money he earns.   skill 24

> ⇨

03 Nobody knows for sure who made the sculpture.   skill 24

> ⇨

04 She doesn't know how lucky she is.   skill 24

> ⇨

05 Who first discovered what causes illness?   skill 24

> ⇨

06 I hope that diabetes will be cured soon.   skill 24

> ⇨

07 Can you understand what I'm saying?   skill 24

> ⇨

08 I believe that she will save my life.   skill 24

> ⇨

09 Many people say that parents are the best teachers.   skill 24

> ⇨

10 I remember that I have to follow the rules.   skill 24

> ⇨

Answer p.28

Workbook

11 The pain makes it difficult to sit for any period of time. skill 28

↳

12 I found it hard to get out of bed for my classes. skill 25

↳

13 The child thought it strange to define words with other words. skill 25

↳

14 I consider it important to create stronger links among universities. skill 25

↳

15 Giving praise makes it easier to be connected with family members. skill 25

↳

16 I found it difficult to drive for long periods of time. skill 25

↳

17 They thought it rude to criticize him in front of the team. skill 25

↳

18 I don't consider it good to compare ourselves with others. skill 25

↳

19 Having a midnight snack makes it difficult to reduce your waist size. skill 25

↳

20 I make it a rule to go jogging every morning. skill 25

↳

단어 Review

Answer p.28

A 다음 영어를 우리말로 쓰시오.

01	erase		11	wisdom
02	resource		12	sense
03	thought		13	separate
04	main		14	product
05	the other day		15	conversation
06	local		16	audience
07	experiment		17	supporter
08	successful		18	examine
09	appointment		19	knowledge
10	frustrate		20	approach

B 다음 우리말을 영어로 쓰시오.

01	흔적, 표시		11	유지하다
02	나타나다		12	충고[조언]하다
03	허락[허용]하다		13	경험하다
04	야기하다		14	기대하다, 예상하다
05	강요하다		15	긍정적인
06	발견하다		16	기어가다
07	파괴하다		17	질, 품질
08	비용		18	자존심, 자부심
09	방어하다		19	공격하다
10	선택하다		20	전문가

개념 Review

Answer p.28

A 맞는 설명에는 ○, 틀린 설명에는 ×를 하시오.

01 동명사와 to부정사는 주격 보어로 쓰일 때 의미 차이가 없다. [   ]

02 관계대명사 what 뒤에는 주어나 목적어가 없는 불완전한 절이 이어진다. [   ]

03 사역동사 make, have, let은 목적격 보어로 to부정사를 쓴다. [   ]

04 "I told you to be balanced."에서 to be balanced는 주격 보어이다. [   ]

05 "The question is whether I can trust you."에서 밑줄 친 부분은 목적격 보어이다. [   ]

B 다음 문장의 네모 안에서 어법상 알맞은 것을 고르시오.

01 The important thing is | understood / understanding | the content.

02 He was | annoyed / annoying | at the baby's crying.

03 This is | that / what | David waited for until 2 in the morning.

04 I didn't expect Park | earn / to earn | a medal in the 1,500-meter race.

05 I'll let you | to know / know | as soon as I receive the result.

C 다음 밑줄 친 부분을 바르게 고치시오.

01 My father had my bike repairing two weeks ago.

02 Your problem is what your face shows everything when you're lying.

03 I was satisfying with myself for working so hard.

04 I heard him chatted to his classmate during class.

05 We have seen him to turn a challenge into opportunity several times.

해석 Practice ①

🔍 다음 밑줄 친 부분에 유의하여 문장을 해석하시오.

01 His bad habit is <u>enjoying instant foods.</u>   *skill 26*

⇨

02 My motto is <u>being humble and always doing my best.</u>   *skill 26*

⇨

03 Sometimes, the best plan is <u>not having a plan.</u>   *skill 26*

⇨

04 My only wish is <u>to be with my wife and two kids.</u>   *skill 26*

⇨

05 My job is <u>to let the world know about Korean culture.</u>   *skill 26*

⇨

06 Her plan is <u>to learn English while she lives in Canada for 2 years.</u>   *skill 26*

⇨

07 The fact is <u>that we live in a changing culture.</u>   *skill 27*

⇨

08 The most important thing is <u>that you remain calm.</u>   *skill 27*

⇨

09 My hope is <u>that our team will finish the project in time.</u>   *skill 27*

⇨

10 My opinion is <u>that Luke is directly responsible for this accident.</u>   *skill 27*

⇨

Answer p.28

11 The question is <u>whether we can make change our friend.</u> *skill 27*

> ⇨

12 The research topic was <u>whether life exists on Mars.</u> *skill 27*

> ⇨

13 The issue was <u>whether Mark was the right person for the job.</u> *skill 27*

> ⇨

14 The question is <u>why she lied about her family.</u> *skill 28*

> ⇨

15 The main issue is <u>what decisions the company made.</u> *skill 28*

> ⇨

16 My interest is <u>how the body and mind affect each other.</u> *skill 28*

> ⇨

17 The problem is <u>who will lead this organization.</u> *skill 28*

> ⇨

18 This is <u>what I want to rent for my trip to LA.</u> *skill 28*

> ⇨

19 Your work is <u>what expresses who you are.</u> *skill 28*

> ⇨

20 Meeting new people is <u>what she enjoys most about her job.</u> *skill 28*

> ⇨

Workbook

해석 Practice ②

🔍 다음 문장에서 보어에 밑줄을 긋고, 문장을 해석하시오.

01 Making mistakes is embarrassing to anyone.   *skill 29*

⇨

02 All this information can be confusing to the user.   *skill 29*

⇨

03 Walking at the zoo can be exhausting for small children.   *skill 29*

⇨

04 Life in Guam was too boring and simple.   *skill 29*

⇨

05 The night view of the city from the sky was pleasing.   *skill 29*

⇨

06 He is very interested in space research.   *skill 29*

⇨

07 I was embarrassed by my son's rude behavior.   *skill 29*

⇨

08 She is annoyed with me because I spilled juice on her dress.   *skill 29*

⇨

09 My parents were disappointed in my grades.   *skill 29*

⇨

10 Tony felt frustrated because no one listened to him.   *skill 29*

⇨

Answer p.29

Workbook

11 I want my parents to be proud of me.   skill 30

⇨

12 I asked him to say the alphabet from A.   skill 30

⇨

13 His angry gestures told them to stop.   skill 30

⇨

14 They warned the visitors not to take any pictures.   skill 30

⇨

15 I had to force myself to eat vegetables.   skill 30

⇨

16 I didn't expect him to get a job offer so quickly.   skill 30

⇨

17 The doctor told her to pay attention to her own feelings.   skill 30

⇨

18 The judge ordered her to return the child to his mother.   skill 30

⇨

19 The program allows elementary school students to participate.   skill 30

⇨

20 The heavy smoke caused them to return home.   skill 30

⇨

해석 Practice ③

🔍 다음 밑줄 친 부분에 유의하여 문장을 해석하시오.

01   I watched her <u>have</u> a conversation with my son.   *skill 31*

↳

02   She felt her hands <u>touch</u> something cold.   *skill 31*

↳

03   I heard someone <u>tell</u> my mother the news.   *skill 31*

↳

04   I have never seen him <u>speak</u> well of somebody.   *skill 31*

↳

05   I noticed the artist's paintings <u>become</u> brighter than before.   *skill 31*

↳

06   The teacher had the boys <u>line</u> up in front of the classroom.   *skill 31*

↳

07   Don't let him <u>fool</u> you with sweet talk.   *skill 31*

↳

08   My colleagues made me <u>feel</u> important to our team.   *skill 31*

↳

09   I have a mechanic <u>check</u> my car before I go on a trip.   *skill 31*

↳

10   I'll let you <u>know</u> our decision as soon as possible.   *skill 31*

↳

Answer p.29

11 One night, he saw a dog <u>jumping</u> up and down. *skill 32*

12 We felt our house <u>shaking</u> when a train passed by. *skill 32*

13 I can hear my heart <u>beating</u> in my ears sometimes. *skill 32*

14 She watched him <u>waving</u> the towel out of the window. *skill 32*

15 I found myself <u>wanting</u> to tell the story. *skill 32*

16 I saw her <u>carried</u> out of the burning house. *skill 32*

17 Keep the front door <u>locked</u> at all times. *skill 32*

18 Henry found the warning sign <u>placed</u> on the roadside. *skill 32*

19 When do you want the project <u>finished</u> by? *skill 32*

20 She had her shoes <u>stolen</u> while she was eating at a restaurant. *skill 32*

Answer p.30

A 다음 영어를 우리말로 쓰시오.

01	robber		11	information	
02	deliver		12	free of charge	
03	repeat		13	committee	
04	submit		14	contract	
05	attempt		15	reporter	
06	announce		16	donate	
07	supporter		17	determine	
08	chase		18	negative	
09	blanket		19	occupy	
10	performance		20	experiment	

B 다음 우리말을 영어로 쓰시오.

01	두 번		11	뽑다, 선출하다	
02	최종의, 마지막의		12	서명하다	
03	장난감		13	또 하나의	
04	여배우		14	곤충	
05	수리하다		15	막다	
06	부상을 입은		16	반[절반]	
07	만들다		17	둘러싸다, 포장하다	
08	준비하다		18	시장	
09	간주하다		19	생산하다	
10	공장		20	기도하다	

개념 Review

Answer p.30

A 맞는 설명에는 ○, 틀린 설명에는 ×를 하시오.

01 수동태의 진행형은 「be+being+p.p.」이다. [ ]

02 과거에 일어난 두 가지 일 중 먼저 일어난 일은 과거완료형으로 나타낸다. [ ]

03 현재를 기준으로 그때까지의 경험, 계속, 완료, 결과를 나타낼 때 과거완료를 쓴다. [ ]

04 "I was shown a picture by him."은 '나는 그에게 사진을 보여주었다'로 해석한다. [ ]

05 "It can be made into jelly."에서 can be made는 '만들 수 있다'로 해석한다. [ ]

B 다음 문장의 네모 안에서 어법상 알맞은 것을 고르시오.

01 Only one location may | select / be selected | by you.

02 This concept was taught | to / for | us by Jeff Benson.

03 In Canada, various flowers | is / are | being grown.

04 Two men were seen | run / to run | away from the crash site.

05 The waste problem | has not been / has been not | solved.

C 다음 밑줄 친 부분을 바르게 고치시오.

01 He said the house has been empty.

02 A new building is been built next to the bookstore.

03 Nests should clean once a week to remove dirty things.

04 This coat was bought of me at Christmas, but it is too big.

05 The traditions of the village has been kept alive until today.

Workbook

🔍 다음 밑줄 친 부분에 유의하여 문장을 해석하시오.

01 It had been very cold and windy till yesterday.　　　*skill 33*

⇨

02 When I arrived there, the party had already begun.　　　*skill 33*

⇨

03 She realized that she had seen the policeman before.　　　*skill 33*

⇨

04 He had been working in China for five years.　　　*skill 33*

⇨

05 I had left my cell phone at home, so I couldn't call her.　　　*skill 33*

⇨

06 She said that she had been in the hospital for a week.　　　*skill 33*

⇨

07 I had just washed the dishes when you called me.　　　*skill 33*

⇨

08 I found that he had spent his life in the military.　　　*skill 33*

⇨

09 He told me that he had been to Africa.　　　*skill 33*

⇨

10 I followed him, but he had already disappeared.　　　*skill 33*

⇨

Answer p.30

11 John complained about the shop he <u>had visited</u>.   skill 34

12 He thought that his bag <u>had been lost</u>.   skill 34

13 The waiter <u>had put</u> away the plates before we finished eating.   skill 34

14 I was late for work because I <u>had missed</u> the bus in the morning.   skill 34

15 She was curious about why her husband <u>had come</u> here.   skill 34

16 He spoke about what he <u>had learned</u> from his father.   skill 34

17 I told him that I <u>had not eaten</u> anything that day.   skill 34

18 He treated all the people who <u>had been injured</u>.   skill 34

19 He could not remember where he <u>had left</u> his wallet.   skill 34

20 She <u>had found</u> a cat on the street and took it to her house.   skill 34

해석 Practice ②

🔍 다음 문장에서 동사에 밑줄을 긋고, 문장을 해석하시오.

01 No information on the subject was found on Google.
skill 35

↳

02 Was the car made by a Korean company?
skill 35

↳

03 The roof of the building was damaged in a storm.
skill 35

↳

04 My bicycle was stolen two days ago.
skill 35

↳

05 His legs were covered in mud.
skill 35

↳

06 Any decision will not be made until tomorrow.
skill 35

↳

07 Will the project be done in a week?
skill 35

↳

08 Your order will be delivered within two days.
skill 35

↳

09 The wedding invitations will be sent out next week.
skill 35

↳

10 Your personal information will be recorded here.
skill 35

↳

 Answer p.30

Workbook

11 What will winners be given?
skill 35

12 Tomorrow the situation may be changed.
skill 36

13 All of our restaurant's dishes can be delivered.
skill 36

14 The money must be paid at once.
skill 36

15 The medicine should be taken with enough water.
skill 36

16 The report must be sent by email.
skill 36

17 An oasis can be seen in the desert.
skill 36

18 The shopping center must be built by 2020.
skill 36

19 The selected file cannot be found.
skill 36

20 Passwords can be easily forgotten.
skill 36

해석 Practice ③

🔎 다음 밑줄 친 부분에 유의하여 문장을 해석하시오.

01 The necklace <u>was given</u> to me last year by my mother. skill 37

⇨

02 This question <u>was asked</u> of all participants by him. skill 37

⇨

03 A wrong text message <u>was sent</u> to her by mistake by him. skill 37

⇨

04 Everything good <u>was taught</u> to me by great teachers. skill 37

⇨

05 The blue scarf <u>was bought</u> for my mother by me. skill 37

⇨

06 The movie <u>was shown</u> to the students by the teacher. skill 37

⇨

07 The kite <u>was made</u> for us by my father. skill 37

⇨

08 Last night's dinner <u>was cooked</u> for us by my aunt. skill 37

⇨

09 A letter <u>was shown</u> to Wilson by his employer. skill 37

⇨

10 Even a cup of coffee <u>wasn't given</u> to us by him. skill 37

⇨

Workbook

Answer p.30

11 He <u>was seen</u> to enter the room by Andrew.   skill 38

12 I <u>was told</u> to move the sofa in the living room by her.   skill 38

13 I <u>was asked</u> to check the schedule by her.   skill 38

14 She <u>was named</u> the Player of the Year last year.   skill 38

15 I <u>was made</u> to stay there for two hours by him.   skill 38

16 He <u>was encouraged</u> to start again by them.   skill 38

17 Kelly <u>was heard</u> to play the violin by me.   skill 38

18 They <u>were made</u> to cut the grass by him.   skill 38

19 Pets <u>are not allowed</u> to enter this restaurant.   skill 38

20 The fruit <u>is called</u> "poor man's food."   skill 38

해석 Practice ④

🔍 다음 문장에서 동사에 밑줄을 긋고, 문장을 해석하시오.

01 The banks in the area have been closed down.   skill 39

⇨

02 The names of six guests had been left off the list.   skill 39

⇨

03 The story has been made into a film by Universal Studios.   skill 39

⇨

04 A lot of houses had been destroyed by the typhoon.   skill 39

⇨

05 One of her favorite TV shows had been canceled.   skill 39

⇨

06 Not a clue has yet been found to solve the mystery.   skill 39

⇨

07 Many factories have been closed in Canada.   skill 39

⇨

08 His work of art has been made of recycled materials.   skill 39

⇨

09 A national park has been planned for the near future.   skill 39

⇨

10 The elephants have been trained to play instruments.   skill 39

⇨

Answer p.31

11 That book is being read by many students.   skill 40

12 Food is being cooked outdoors for a party by my father.   skill 40

13 In some countries, many children are still being taught in tents.   skill 40

14 The robot was being controlled by the scientists.   skill 40

15 The movie is being praised by many audiences.   skill 40

16 My groceries are being packed into plastic bags.   skill 40

17 I feel I am being punished for one silly mistake.   skill 40

18 The Internet is being used more often for advertising.   skill 40

19 The men's clothes were being sold for half price at the mall.   skill 40

20 All decisions are being made by the government.   skill 40

단어 Review

Answer p.31

A 다음 영어를 우리말로 쓰시오.

01	wallet		11	order	
02	record		12	garlic	
03	championship		13	offer	
04	let out		14	considerate	
05	secret		15	yell	
06	in charge		16	reporter	
07	drop		17	inform	
08	on one's way		18	look for	
09	certain		19	accident	
10	forget		20	text message	

B 다음 우리말을 영어로 쓰시오.

01	성취하다		11	빌리다	
02	방문하다		12	승리하다	
03	마당, 뜰		13	~ 대신에	
04	초대하다		14	공유하다	
05	고의로		15	화학	
06	주저하다		16	학기	
07	발생하다		17	정의	
08	전쟁		18	(병에) 걸리다	
09	선택하다		19	일, 문제	
10	안전한		20	화염	

개념 Review

Answer p.31

A 맞는 설명에는 ○, 틀린 설명에는 ×를 하시오.

01 과거 사실에 대한 부정적 추측은 「may have p.p.」로 표현한다.   [   ]

02 과거 사실과 반대되는 가정이 현재 상황에 영향을 미칠 때 혼합 가정법으로 표현한다. [   ]

03 as if가 이끄는 절이 주절과 같은 시점의 내용일 때 「as if+주어+had p.p.」를 쓴다. [   ]

04 "You shouldn't have done it."에서 밑줄 친 부분은 '해서는 안 된다'라고 해석한다. [   ]

05 "I wish our flight would land."에서 I wish는 '좋을 텐데'라고 해석한다.   [   ]

B 다음 문장의 네모 안에서 어법상 알맞은 것을 고르시오.

01 She | may not have died / may have not died | from a heart attack.

02 If I | knew / had known | the fact, I would never have booked this hotel.

03 If I | stayed / had stayed | with her, he would turn his back away from her.

04 I wish he | did / had done | it for me when I was a baby.

05 Jack always seems as if he | is / were | shy in front of other people.

C 다음 밑줄 친 부분을 바르게 고치시오.

01 She must try to forgive them yesterday.

02 He should have not bought the tickets in advance.

03 If I have a spare ticket, I would give it to you.

04 I wish I received heart surgery last year.

05 She acts as if she can control her fate.

해석 Practice ①

🔍 다음 밑줄 친 부분에 유의하여 문장을 해석하시오.

01 You <u>may have written</u> more than you know.　skill 41

⇨

02 Her weight <u>may have increased</u> to 350 pounds by autumn.　skill 41

⇨

03 Finally she <u>might have gone</u> to see her father.　skill 41

⇨

04 If it had not been for you, I <u>may have left</u> him.　skill 41

⇨

05 He <u>cannot have said</u> such a silly thing.　skill 41

⇨

06 They <u>cannot have taken</u> him to the police station.　skill 41

⇨

07 It <u>cannot have been</u> just an accident.　skill 41

⇨

08 He <u>cannot have waited</u> for us until morning.　skill 41

⇨

09 You and Jennifer <u>must have attended</u> the same high school.　skill 42

⇨

10 He <u>must have felt</u> he had no choice.　skill 42

⇨

월 ◯ 일 | 맞은 개수 : ◯ / 20

skill 41 「may have p.p.」/「cannot have p.p.」 문장 읽기
skill 42 「must have p.p.」 문장 읽기
skill 43 「should have p.p.」 문장 읽기

Answer p.31

11 All workers <u>must have repeated</u> the safety training course.　　skill 42

⇨

12 He <u>must have known</u> what his son wanted to be since childhood.　　skill 42

⇨

13 Jack <u>must have changed</u> his phone number.　　skill 42

⇨

14 She <u>must have tried</u> to warn them.　　skill 42

⇨

15 We <u>should have done</u> a little more research before selling it.　　skill 43

⇨

16 I <u>should have rejected</u> her offer immediately.　　skill 43

⇨

17 She <u>should have understood</u> that he was not a perfect human being.　　skill 43

⇨

18 I <u>shouldn't have wasted</u> my time reading that.　　skill 43

⇨

19 He <u>shouldn't have scolded</u> his young daughter so harshly.　　skill 43

⇨

20 I <u>shouldn't have told</u> you the truth about him.　　skill 43

⇨

해석 Practice ②

🔍 다음 문장에서 if절의 동사에 밑줄을 긋고, 문장을 해석하시오.

01 If I were in your situation, I would do the same thing. *skill 44*

⇨

02 If he were dishonest, I would be very shocked. *skill 44*

⇨

03 If she came back to me, I would apologize to her. *skill 44*

⇨

04 If there were no night, we would not appreciate the day. *skill 44*

⇨

05 What would you do if today were your last day on earth? *skill 44*

⇨

06 If I had the opportunity, I would like to ask them the reason. *skill 44*

⇨

07 If she could understand the situation, I would explain the accident to her. *skill 44*

⇨

08 If I had gotten paid more, I would have bought a nicer home. *skill 45*

⇨

09 If you had asked me, I would have helped to paint your house. *skill 45*

⇨

10 If they hadn't lost their way, they would have arrived home in the evening. *skill 45*

⇨

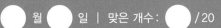

Workbook

11 If he had not been very selfish, he could have achieved his ambition. *skill 45*

12 If she had arrived earlier, she would have seen the strange sight. *skill 45*

13 If you had turned on the light, you would have seen your friend with you. *skill 45*

14 If you had paid attention to other things, your life would be very different. *skill 46*

15 If I had learned piano first, I would be a better guitar player today. *skill 46*

16 If we hadn't fought that day, we would still be close friends. *skill 46*

17 If he had not gotten injured last week, he could go camping with me today. *skill 46*

18 If I had invented a time machine, I would change everything. *skill 46*

19 If he had not become a chairman, he would have fewer worries. *skill 46*

20 If I had followed your advice then, I would not be suffering now. *skill 46*

해석 Practice ③

🔍 다음 밑줄 친 부분에 유의하여 문장을 해석하시오.

01 I wish he <u>would start</u> something new soon.
skill 47

02 I wish I <u>had saved</u> money with more discipline.
skill 47

03 I wish I <u>could spend</u> time with my family during the weekends.
skill 47

04 I wish I <u>had reserved</u> a bigger space for the meeting.
skill 47

05 I wish he <u>could remember</u> that I am a doctor.
skill 47

06 I wish he <u>could share</u> his room with me.
skill 47

07 I wish she <u>would stop</u> complaining about everything.
skill 47

08 I wish he <u>would love</u> me more than anything.
skill 47

09 I wish she <u>would change</u> her mind about leaving town.
skill 47

10 I wish she <u>had</u> someone to talk to.
skill 47

 Answer p.32

Workbook

11 He acts today as if nothing <u>had happened</u> yesterday.
skill 48

⇨

12 He spoke as if everything <u>had been decided</u>.
skill 48

⇨

13 She treats me as if she <u>had known</u> me all her life.
skill 48

⇨

14 It seemed as if he <u>were falling</u> in slow motion.
skill 48

⇨

15 He walks as if the earth <u>belonged</u> to him.
skill 48

⇨

16 She came straight to me as if she <u>knew</u> me.
skill 48

⇨

17 He said nothing as if he <u>had</u> no idea who she was.
skill 48

⇨

18 He stood as if he <u>had been</u> there for a long time.
skill 48

⇨

19 She was sitting there as if her mind <u>were</u> somewhere else.
skill 48

⇨

20 It sounds as if something <u>were</u> deeply wrong.
skill 48

⇨

단어 Review

Answer p.33

A 다음 영어를 우리말로 쓰시오.

01	take notes		11	give ~ a ride
02	recognize		12	the entire time
03	foreigner		13	stare at
04	permit		14	contact
05	regularly		15	embarrassed
06	immediately		16	invitation
07	surround		17	uncomfortable
08	probably		18	mosquito
09	concentrate on		19	completely
10	exhausted		20	approach

B 다음 우리말을 영어로 쓰시오.

01	치료하다		11	박수를 치다
02	따르다, 순종하다		12	거의
03	나누다		13	흔들다
04	농담		14	그만두다
05	어린 시절		15	준비시키다
06	물다		16	고속도로
07	~에 기대다		17	수여하다, 주다
08	장소		18	신경 쓰이게 하다
09	밤사이에		19	곤충
10	가두다		20	진흙

개념 Review

A 맞는 설명에는 ○, 틀린 설명에는 ×를 하시오.

01 분사구문의 부정은 분사 뒤에 not이나 never를 쓴다. [ ]

02 분사구문의 시제가 주절의 시제보다 앞선 경우 「having p.p.」의 형태를 쓴다. [ ]

03 분사구문에서 being이나 having been은 생략할 수 있다. [ ]

04 "This cafe is so noisy that I can't study here."에서 that 이하는 결과를 나타낸다. [ ]

05 「with＋(대)명사＋분사」 구문에서 (대)명사와 분사의 관계가 능동이면 과거분사를 쓴다. [ ]

B 다음 문장의 네모 안에서 어법상 알맞은 것을 고르시오.

01 Come as early as possible so what / that you may see her.

02 Not hurrying / Hurrying not up, he missed the bus.

03 Having left / Having been left my keys at home, I rang the doorbell.

04 It was so / such a short time that he didn't realize it.

05 Jenny was walking up and down the stairs with her arms folded / folding .

C 다음 밑줄 친 부분을 바르게 고치시오.

01 At that time, I was such busy that I often skipped lunch.

02 She locked her bicycle so as no one could steal it.

03 Grow up in the city when young, he doesn't know about country life well.

04 Recording years ago, his album has sold more than one million copies.

05 Green leaves filled the forest with summer come.

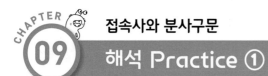

접속사와 분사구문

해석 Practice ①

🔍 다음 밑줄 친 부분에 유의하여 문장을 해석하시오.

01 She studies hard <u>so that</u> she can realize her dream.
⟹

skill 49

02 I didn't expect anything <u>so that</u> I would not be disappointed.
⟹

skill 49

03 I turned off the radio <u>so that</u> I could concentrate on my work.
⟹

skill 49

04 I don't know what to do <u>so that</u> I could get his attention.
⟹

skill 49

05 He went to the furniture store <u>so that</u> he could buy a chair.
⟹

skill 49

06 She came to my house <u>so that</u> she could borrow a suitcase.
⟹

skill 49

07 I got up early <u>so that</u> I might catch the first bus.
⟹

skill 49

08 She went to Hong Kong <u>so that</u> she could do some shopping.
⟹

skill 49

09 We gathered together <u>so that</u> we could celebrate his graduation.
⟹

skill 49

10 I will do my best <u>so that</u> I can succeed at my career.
⟹

skill 49

11 She was <u>so</u> exhausted <u>that</u> she fell asleep at her desk. *skill 50*

12 The art museum was <u>so</u> crowded <u>that</u> we couldn't appreciate the artworks. *skill 50*

13 My father was <u>so</u> angry with me <u>that</u> I could not say anything. *skill 50*

14 James slept <u>so</u> deeply <u>that</u> he didn't notice his mom come back. *skill 50*

15 She does her work <u>so</u> perfectly <u>that</u> she doesn't make any mistakes. *skill 50*

16 Mr. Kim spoke <u>so</u> quietly <u>that</u> no one could hear his presentation. *skill 50*

17 She is <u>such</u> a smart student <u>that</u> she often gets a scholarship. *skill 50*

18 It is <u>such</u> a beautiful day <u>that</u> the clothes dry fast. *skill 50*

19 It was <u>such</u> a great speech <u>that</u> I posted it on my blog. *skill 50*

20 It is <u>such</u> a dangerous area <u>that</u> nobody should get closer. *skill 50*

🔍 다음 문장에서 분사구문에 밑줄을 긋고, 문장을 해석하시오.

01 Running on the track, I sweated a lot.   skill 51

⤷

02 Wiping his lips with a tissue, he threw it to the ground.   skill 51

⤷

03 He continued walking, not knowing where he was going.   skill 51

⤷

04 I listened to the mayor's address, quietly taking notes.   skill 51

⤷

05 He made an excuse, saying that he didn't have enough time.   skill 51

⤷

06 Getting on the bus, someone stepped on my foot.   skill 51

⤷

07 Visiting your friend's house, you must behave well.   skill 51

⤷

08 After reaching the summit, we'll go down the mountain.   skill 51

⤷

09 Telling my troubles to my mom, I felt much better than before. skill 51

⤷

10 Taking a walk in the park, he made a phone call to his wife. skill 51

⤷

Answer p.33

Workbook

11 Being tired, we came home early.   *skill 52*

  ⇨

12 The questions being difficult, I couldn't solve them.   *skill 52*

  ⇨

13 Not getting a ticket, he couldn't enter the ballpark.   *skill 52*

  ⇨

14 Feeling dizzy, she closed her eyes and rested for a while.   *skill 52*

  ⇨

15 Having a toothache, she took some medicine.   *skill 52*

  ⇨

16 Using a taxi, you will arrive there soon.   *skill 52*

  ⇨

17 Turning left, you can find the bus stop.   *skill 52*

  ⇨

18 Practicing more, she will pass the driving test.   *skill 52*

  ⇨

19 Being ill, you don't need to go with me.   *skill 52*

  ⇨

20 Keeping on listening to loud music, you can lose your hearing.   *skill 52*

  ⇨

해석 Practice ③

🔍 다음 밑줄 친 부분에 유의하여 문장을 해석하시오.

01 <u>Having finished dinner</u>, Andrew started washing the dishes.   *skill 53*

⇨

02 <u>Having already heard the news</u>, he was not very surprised.   *skill 53*

⇨

03 <u>Having done my homework</u>, I played a board game with my sister.   *skill 53*

⇨

04 <u>Not having seen him for so long</u>, I couldn't recognize him at once.   *skill 53*

⇨

05 <u>Having lost his wallet yesterday</u>, Jack is now in big trouble.   *skill 53*

⇨

06 <u>Having visited the castle before</u>, he didn't want to go there again.   *skill 53*

⇨

07 <u>Having studied French at university</u>, I speak the language well.   *skill 53*

⇨

08 <u>Being left alone</u>, he didn't know what to do.   *skill 54*

⇨

09 Sam, <u>disappointed and angry</u>, simply walked out.   *skill 54*

⇨

10 <u>Having been built many years ago</u>, the houses look old.   *skill 54*

⇨

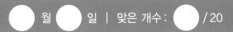
 Answer p.34

11 Born into a poor family, I started working at a very early age.   skill 54

↪ _____

12 Dressed in normal clothes, you didn't look impressive at first.   skill 54

↪ _____

13 Having been surrounded by many people, I couldn't move easily.   skill 54

↪ _____

14 Tired from the hard work, he went to bed earlier than usual.   skill 54

↪ _____

15 Danny prayed with his eyes open.   skill 55

↪ _____

16 She ran upstairs with the dogs barking at her.   skill 55

↪ _____

17 We stood with our eyes fixed on each other.   skill 55

↪ _____

18 She left the kitchen with the pot boiling.   skill 55

↪ _____

19 He walked inside the hotel with his shoes wet.   skill 55

↪ _____

20 We shared scary stories with the lamp turned on.   skill 55

↪ _____

Workbook

Answer p.34

A 다음 영어를 우리말로 쓰시오.

01	creativity		11	on board
02	as to		12	remedy
03	involve		13	technology
04	media		14	convey
05	delete		15	device
06	intelligent		16	record
07	totally		17	incorrect
08	article		18	due to
09	opportunity		19	rice cake
10	warrior		20	refuse

B 다음 우리말을 영어로 쓰시오.

01	발달시키다		11	걸다, 매달다
02	포함하다		12	세부사항
03	지나가다, 통과하다		13	몇몇의
04	잔디(밭)		14	깡충깡충 뛰다
05	마당		15	두려움
06	결석한		16	북부, 북쪽
07	허락하다		17	품질, 고급
08	다리		18	대본
09	~로 이어지다		19	둑, 제방
10	용기		20	막대기

강조 · 부정 · 도치

개념 Review

Answer p.34

A 맞는 설명에는 ○, 틀린 설명에는 ×를 하시오.

01 「it is[was] … that ~」 강조 구문에서 강조하는 대상은 that 뒤에 온다. [　　]

02 부정어가 문장 맨 앞에 나오면 주어와 동사의 순서가 바뀐다. [　　]

03 장소의 부사(구)가 문장 맨 앞에 나와도 주어가 대명사이면 도치는 일어나지 않는다. [　　]

04 "This show is not fun at all."에서 not fun at all은 '전혀 재미가 없는'이라고 해석한다. [　　]

05 "Silence is not always good."에서 not always good은 '항상 좋지 않은'이라고 해석한다. [　　]

B 다음 문장의 네모 안에서 어법상 알맞은 것을 고르시오.

01 It is Daniel that / which works at the gas station.

02 Anyone / No one can live without water and food.

03 Not every country celebrates / celebrate the New Year the same way.

04 Not only was / did he make a promise, but he also kept it.

05 "There comes he / he comes now," he said.

C 다음 밑줄 친 부분을 바르게 고치시오.

01 It is his monkey when stole the rare stone from his farm.

02 I have two suitcases, but neither of them are big enough for my trip.

03 Not all animals has the same number of legs.

04 Hardly she does understand what I say.

05 Out the sun came from behind a cloud.

Workbook

🔍 다음 밑줄 친 부분에 유의하여 문장을 해석하시오.

01 It is the dark that I have always been afraid of.   skill 56

⇨

02 It was Cathy that caused the problem.   skill 56

⇨

03 It was a story about space that came into my head.   skill 56

⇨

04 It was at the restaurant that I met my wife Carol.   skill 56

⇨

05 It was yesterday that I saw him at the shopping mall.   skill 56

⇨

06 It was after dinner that I went back to my apartment for a rest.   skill 56

⇨

07 It is a carrot cake that I often bake in the oven.   skill 56

⇨

08 I don't understand why no one recognizes me.   skill 57

⇨

09 None of the students in his class did their homework.   skill 57

⇨

10 Neither of us was hurt in the car accident yesterday.   skill 57

⇨

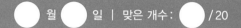
 Answer p.34

Workbook

11 Though he is young, he <u>never</u> wastes time.   *skill 57*

⟿

12 Alcohol is <u>not</u> good for your brain and heart <u>at all</u>.   *skill 57*

⟿

13 <u>No</u> students are at school because today is a national holiday.   *skill 57*

⟿

14 He sat down alone and <u>nobody</u> paid attention to him.   *skill 57*

⟿

15 The old couple <u>don't</u> go jogging <u>every</u> morning.   *skill 58*

⟿

16 You can<u>not</u> select <u>both</u> at the same time.   *skill 58*

⟿

17 It's <u>not always</u> easy to treat others in a friendly way.   *skill 58*

⟿

18 Being busy is <u>not necessarily</u> a bad thing.   *skill 58*

⟿

19 I could <u>not</u> save <u>all</u> the files to a USB drive.   *skill 58*

⟿

20 Speed is <u>not always</u> the best way to solve a problem.   *skill 58*

⟿

해석 Practice ②

🔍 다음 밑줄 친 부분에 유의하여 문장을 해석하시오.

01 <u>Not only</u> could he read it, but he could write it.   *skill 59*

↪

02 <u>Not only</u> are they rude but also selfish.   *skill 59*

↪

03 <u>Little</u> did I think that he would win first prize.   *skill 59*

↪

04 <u>Little</u> is he aware of how much this trip will change his life.   *skill 59*

↪

05 <u>Never</u> will I forget the smile on his face.   *skill 59*

↪

06 <u>Never</u> have I been angrier in my life than this.   *skill 59*

↪

07 <u>Hardly</u> does he know that she likes him.   *skill 59*

↪

08 <u>Hardly</u> have I seen such a modern and smart guy.   *skill 59*

↪

09 <u>Rarely</u> does she listen to the radio.   *skill 59*

↪

10 <u>Rarely</u> do I talk to strangers or get into their cars.   *skill 59*

↪

Answer p.35

11 On the table sat a lamp and a flower pot. skill 60

12 Under a tree was sleeping an old man. skill 60

13 From the north blew the wind strongly. skill 60

14 At the beach they made many big sand castles. skill 60

15 Just around the corner was the parade. skill 60

16 Out of the room he ran as fast as he could. skill 60

17 On the walls they put the posters for the jazz festival. skill 60

18 Down the street are two men selling lemonade and ice cream. skill 60

19 In front of the gate was a sign saying "Do Not Park Here." skill 60

20 High up in the air was a group of birds. skill 60

Memo

Memo

Memo

Memo

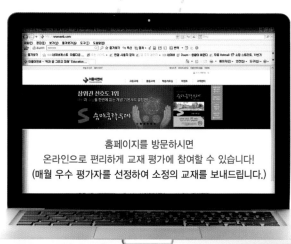

이룸이앤비의 특별한 중등 국어교재 시리즈

숨마 주니어® 중학국어 어휘력 시리즈

중학교 국어 실력을 완성시키는 **국어 어휘 기본서** (전 3권)

- 중학국어 **어휘력** ❶
- 중학국어 **어휘력** ❷
- 중학국어 **어휘력** ❸

숨마 주니어® 중학국어 비문학 독해 연습 시리즈

모든 공부의 기본! 글 읽기 능력을 향상시키는
국어 비문학 독해 기본서 (전 3권)

- 중학국어 **비문학 독해 연습** ❶
- 중학국어 **비문학 독해 연습** ❷
- 중학국어 **비문학 독해 연습** ❸

숨마 주니어® 중학국어 문법 연습 시리즈

중학국어 **주요 교과서 종합!**

중학생이 꼭 알아야 할 **필수 문법서** (전 2권)

- 중학국어 **문법 연습 1** 기본
- 중학국어 **문법 연습 2** 심화

숨마 주니어®

60개 패턴으로 독해의 기본을 잡는

중학 영어

문장
해석
연습

3

정답 및 해설

숨마 주니어®

중학 영어

문장
해석
연습 3

정답 및 해설

CHAPTER 01 명사절

skill 01
◎ 본문 18쪽

1 That she fell in love with him / 그녀가 그와 사랑에 빠졌다는 것

2 that cigarettes are harmful to the body / 담배가 몸에 해롭다는 것

3 that there is always an exception to every rule / 모든 규칙에는 항상 예외가 있다는 것

4 that you put a lot of effort into this work / 네가 이 일에 많은 노력을 들였다는 것

5 that I am a foreigner / 내가 외국인이라는

어법

6 is / 그가 초등학생이라는 것은 놀랍다.

7 is / Lee가 월드컵에서 경기할 수 없다는 것은 실망스럽다.
   ◎ that절이 주어 역할을 하는 경우 단수 취급하므로, 단수 동사 is가 와야 한다.

skill 02
◎ 본문 19쪽

1 Whether his concert will take place / 그의 콘서트가 개최될지 아닐지

2 whether I can trust my judgment / 내가 내 판단을 신뢰할 수 있는지 없는지

3 Whether he will understand or not / 그가 이해할지 아닐지

4 if I will continue the job / 내가 그 일을 계속할지 말지

어법

5 whether / 그녀는 그러한 증거가 도움이 될지 아닐지를 의심했다.
   ◎ 동사 doubted의 목적어가 필요하므로 명사절을 이끄는 접속사 whether가 와야 한다. when은 부사절을 이끄는 접속사이므로 적절하지 않다.

6 Whether / 그 계획이 성공할지 아닐지는 확실하지 않다.
   ◎ 동사 is 앞에 주어가 필요하므로 명사절을 이끄는 접속사 Whether가 와야 한다. because는 부사절을 이끄는 접속사이므로 적절하지 않다.

skill 03
◎ 본문 20쪽

1 How the disease spread rapidly / 어떻게 그 질병이 빠르게 확산되었는지

2 what you learn from your mistake / 당신이 실수로부터 무엇을 배우는지

3 Which job you choose / 당신이 어떤 직업을 선택하는지

4 how much salt I need to add / 내가 얼마나 많은 양의 소금을 첨가할 필요가 있는지

어법

5 he is / 나는 그가 어디에 있는지 전혀 모르겠다.
   ◎ 의문사절의 어순은 「의문사(+주어)+동사~」이므로, he is가 와야 한다.

6 the bus leaves / 나는 차장에게 언제 버스가 출발하는지를 물어보았다.
   ◎ 의문사절의 어순은 「의문사(+주어)+동사~」이므로, the bus leaves가 와야 한다.

skill 04
◎ 본문 21쪽

1 what was happening in front of me / 내 앞에서 일어나고 있었던 것

2 what we feel when we are in danger / 우리가 위험에 처해 있을 때 느끼는 것

3 what makes you happy / 당신을 행복하게 만드는 것

4 What we must discuss today / 우리가 오늘 토론해야 하는 것

5 what causes physical and mental problems / 신체적 그리고 정신적 문제를 초래하는 것

어법

6 what / 의사소통은 우리를 다른 사람들과 연결해주는 것이다.

7 What / 중요한 것은 당신의 자신감을 향상시키는 것이다.
   ◎ 뒤에 주어가 빠진 불완전한 절이 이어지고 있으므로, 관계대명사 what이 와야 한다.

CHAPTER 01 Exercise
본문 22쪽

A 01 is 02 whether 03 the lake is 04 What
  05 makes

B 01 ⓐ 02 ⓑ 03 ⓐ 04 ⓑ 05 ⓐ
  06 ⓐ 07 ⓑ 08 ⓑ 09 ⓐ 10 ⓑ

C **01** that you want an explanation for everything / 네가 모든 것에 대한 설명을 원한다는 것이다

02 that she was late again / 그녀가 또 늦었다는 사실은

03 whether the proposal can help the economy / 그 제안이 경제에 도움이 될 수 있을지 없을지를

04 which color I liked for the curtain / 커튼 색으로 어떤 색이 마음에 드는지를

05 What surprised me / 나를 놀라게 했던 것은

D **01** It is obvious that his personality has changed.

02 I'm not sure whether your prediction is right.

03 You haven't asked me how I'm feeling.

04 What matters to me is that you're happy.

05 I heard the news that his father passed away.

A

01 누가 차기 국무총리가 될지는 여전히 알려져 있지 않다.
- 의문사절이 주어로 쓰일 때는 단수 취급하므로, 단수 동사 is가 와야 한다.

02 문제는 당신이 상황을 처리할 수 있는지 없는지이다.
- 동사 is의 보어가 필요하므로 명사절을 이끄는 접속사 whether가 와야 한다. if가 이끄는 명사절은 동사의 목적어나 진주어로만 쓰인다는 점에 유의한다.

03 아무도 그 호수가 왜 핑크색인지 모른다.
- 의문사절의 어순은 「의문사(+주어)+동사~」이다.

04 나를 화나게 만드는 것은 많은 양의 불필요한 업무이다.
- 뒤에 주어가 빠진 불완전한 절이 이어지고 있으므로, 관계대명사 What이 와야 한다.

05 내가 그를 다시 볼 수 없을지도 모른다는 생각은 나를 슬프게 한다.
- that절과 동격 관계인 the thought가 문장의 주어이며 단수이므로, 단수 동사 makes가 와야 한다.

B

01 토론은 동물원이 존재해야 하는지 아닌지에 관한 것이었다.

02 이것은 내가 이제껏 산 것 중 가장 비싼 시계이다.

03 이 기술이 우리의 삶을 바꿀 것이 확실하다.

04 내가 너를 위해 할 수 있는 어떤 것이 있니?

05 우리가 지역사회를 위해 할 수 있는 것은 자원봉사이다.

06 내 유일한 관심사는 그가 주변에 있는지 없는지이다.

07 나는 학교에 다닐 때 과학을 매우 좋아했다.

08 그것이 진실이었든 아니었든, 그것은 내 결정에 영향을 미쳤다.

09 나는 우리가 언제 다시 만날지를 모른다.

10 사랑이 있는 곳에 분노는 없다.

수식어구

skill **05** ⊙ 본문 26쪽

1 나는 물속에서 수영하고 있는 오리의 가족을 발견했다.

2 왼쪽에서 오른쪽으로 둥지를 짓고 있는 새들이 있다.

3 그 영상은 행진에서 춤을 추고 있는 소녀를 보여준다.

4 그는 자신을 향해 사납게 짖는 개를 지나쳐서 빠르게 걸었다.

5 정오에 뉴욕으로 떠나는 기차가 있다.

어법

6 were / 벽에 걸려 있는 그림은 내 아들에 의해 그려졌다.
- 현재분사구 hanging on the wall이 수식하는 복수 명사 The pictures가 문장의 주어이므로, 복수 동사 were가 와야 한다.

7 is / 우리를 위해 음식을 요리하고 있는 남자는 유명한 요리사이다.
- 현재분사구 cooking food for us가 수식하는 단수 명사 The man이 문장의 주어이므로, 단수 동사 is가 와야 한다.

skill **06** ⊙ 본문 27쪽

1 built three hundred years ago / 이곳은 3백 년 전에 지어진 절이다.

2 fallen on the ground / 바람이 땅에 떨어진 나뭇잎을 불어 날렸다.

3 given to me by him / 그가 내게 준 목걸이는 매우 비싸다.

4 made by humans / 인간들에 의해 만들어진 최고의 발명품은 바퀴이다.

5 destroyed by a volcano / 그 도시는 화산에 의해 파괴된 고대 로마 도시였다.

어법

6 spoken / 스위스에서 말해지는 언어는 지역에 따라 다양하다.
- 언어가 스위스에서 '말해지는' 것이므로, 수동의 의미를 가진 과거분사 spoken이 와야 한다.

7 invited / 그 행사에 초대된 사람들만 참석할 수 있을 것이다.
- 사람들이 행사에 '초대된' 것이므로, 수동의 의미를 가진 과거분사 invited가 와야 한다.

skill **07** ⊙ 본문 28쪽

1 우리는 그 주제에 관해 연설을 할 사람을 찾고 있다.

2 당신은 의사에게 물어볼 질문을 적어놔야 한다.

3 우리 저녁으로 먹을 맛있는 무언가를 사자.

4 나는 내가 없는 동안 개를 돌봐줄 누군가가 필요하다.

5 겨울은 이 나라에서 여행하기에 가장 좋은 때는 아니다.

어법

6 to talk to / Harry는 이야기를 나눌 만한 멋진 남자이다.

   ◎ to talk의 수식을 받는 명사 a nice man은 전치사 to의 목적어이므로, to부정사 뒤에 to가 이어져야 한다.

7 to put things in / 그 앞치마는 물건을 넣을 호주머니가 없다.

   ◎ to put things의 수식을 받는 명사 pockets는 전치사 in의 목적어이므로, to부정사 뒤에 in이 이어져야 한다.

---

skill 08   ◎ 본문 29쪽

1 나는 약간의 돈을 찾기 위해 은행에 갔다.

2 Magnus는 자라서 결국 캐나다에서 최고의 골프 선수들 중 한 명이 되었다.

3 나는 내 뒷마당에서 뱀을 발견해서 놀랐다.

4 네 인생을 낭비하다니 너는 어리석구나.

5 그의 감정은 읽어내기에 어려웠다.

어법

6 not to get / 그녀는 경찰에 잡히지 않기 위해 도망갔다.

7 not to make / 그는 어떠한 소음도 내지 않기 위해 자신의 신발을 벗었다.

   ◎ to부정사의 부정은 「not[never]+to부정사」의 어순으로 나타낸다.

CHAPTER 02 Exercise   본문 30쪽

A 01 is   02 covered   03 to hang out with
   04 not to get   05 was

B 01 ⓓ   02 ⓐ   03 ⓒ   04 ⓑ   05 ⓔ
   06 ⓔ   07 ⓐ   08 ⓒ   09 ⓑ   10 ⓓ

C 01 burned by the fire / 불에 타버린 편지 조각을 발견 했다

   02 to pick the flower / 꽃을 꺾기 위해 팔을 쭉 폈다

   03 not to have the chance / 그 기회를 갖지 못해서 실망했다

---

04 to leave his car key in the car / 자동차 열쇠를 차 안에 놓고 나오다니

05 to attract people / 사람들의 마음을 끄는 가장 좋은 방법이다

D 01 Look at the young boy talking to the doctor.

   02 Would you eat sushi made by a robot?

   03 Miranda had a lot of toys to play with.

   04 We were deeply shocked to hear of his sudden death.

   05 When shopping online, credit cards are convenient to use.(Credit cards are convenient to use when shopping online.)

A

01 전화로 고객에게 이야기하고 있는 숙녀는 나의 언니이다.

   ◎ 문장의 주어는 단수 명사 The lady이므로, 단수 동사 is가 와야 한다.

02 그녀는 눈으로 덮인 길을 걷고 있다.

   ◎ 길이 눈으로 '덮여진' 것이므로, 수동의 의미를 가진 과거분사 covered가 와야 한다.

03 그에게는 함께 시간을 보낼 진정한 친구가 없었다.

   ◎ to hang out의 수식을 받는 명사 real friends는 전치사 with의 목적어이므로, to부정사 뒤에 with가 이어져야 한다.

04 너의 옷을 더럽히지 않도록 노력해라.

   ◎ to부정사의 부정은 to부정사 앞에 not을 위치시키므로, not to get이 되어야 한다.

05 검은 정장을 입은 그 남자는 멋있었다.

   ◎ 문장의 주어는 단수 명사 The man이므로, 단수 동사 was가 와야 한다.

B

01 Alex는 야구 모자를 쓰고 있는 소년에게 말을 걸기 위해 간다.

02 이것은 연구실에서 약을 테스트하기 위해 사용되는 기계이다.

03 나는 무대 위에서 마이크를 들고 있는 신사를 보았다.

04 Issac은 정문에 서 있는 키 큰 남자를 가리켰다.

05 모기에 물린 부위가 가렵고 부풀어 올라 있다.

06 그녀는 동물 병원에 급히 갔고 결국 그녀의 개가 죽었음을 발견했다.

07 우리는 농장을 사기 위해 돈을 빌렸다.

08 저는 대회 우승자를 발표하게 되어 기쁩니다.

09 그러한 실수를 다시 저지르다니 나는 바보 같았다.

10 인도가 얼음에 뒤덮여서 걷기에 위험하다.

CHAPTER 03 관계사절

○ 목적격 관계대명사 which가 전치사의 목적격으로 쓰인 것이므로 into which가 와야 한다.

---

skill 09 ○ 본문 34쪽

1 who lives next door / 옆집에 사는 소년은 매우 친절하다.
2 who is working in a foreign company / 나는 외국 회사에서 일하는 여자를 안다.
3 which was made by me for my mother / 나의 엄마를 위해 내가 만든 케이크가 있다.
4 which sheds lots of hair / 나는 털이 많이 빠지는 개를 원하지 않는다.
5 that can't jump / 뛸 수 없는 유일한 동물이 코끼리라는 것을 알았나요?

어법

6 were / 함께 자고 있는 소년과 그의 고양이를 보아라.
  ○ 주격 관계대명사절 내의 동사는 선행사인 the boy and his cat에 수를 일치시키므로 복수 동사인 were가 와야 한다.
7 makes / 이것은 나를 웃게 만드는 유일한 영화이다.
  ○ 주격 관계대명사절 내의 동사는 선행사인 the only movie에 수를 일치시키므로 단수 동사인 makes가 와야 한다.

---

skill 10 ○ 본문 35쪽

1 whom I have never met in my life / 내 삶에 결코 만난 적이 없는 한 소년의 사진이 있다.
2 whom she really loved / 그녀는 그녀가 정말 사랑했던 남자와 결혼했다.
3 which he had promised to bring home / 이것은 그가 집에 가져오기로 약속했던 강아지였다.
4 that I built five years ago. / 이곳은 내가 5년 전에 지었던 첫 번째 집이다.
5 that I wanted to buy / 이것은 내가 사고 싶었던 바로 그 컴퓨터이다.

어법

6 with whom / James는 지난 봄에 함께 낚시하러 갔던 남자이다.
  ○ 목적격 관계대명사 whom이 전치사의 목적격으로 쓰인 것이므로 with whom이 와야 한다.
7 into which / 내 모든 물건을 넣을 수 있는 더 큰 여행 가방이 필요하다.

---

skill 11 ○ 본문 36쪽

1 whose father is a lawyer / 나는 아버지가 변호사인 소년을 안다.
2 whose name begins with the letter "X" / 철자 X로 시작하는 이름을 가진 어떤 동물이 있나요?
3 whose hobby is gardening / 취미가 정원가꾸기인 사람들의 수가 증가하고 있다.
4 of which color is black / 그녀는 색깔이 검정색인 스웨터를 갖고 싶어 한다.
5 whose name is Lucy / 그는 이름이 Lucy인 소녀를 입양하기로 결정했다.

어법

6 knows / 나는 (그의) 여동생[누나]이 나를 알고 있는 남자를 만났다.
  ○ 소유격 관계대명사에 이어지는 명사인 sister에 수를 일치시키므로 knows가 와야 한다.
7 are / 이것은 독자 수가 수백만 명에 달하는 신문이다.
  ○ 소유격 관계대명사에 이어지는 명사인 readers에 수를 일치시키므로 are가 와야 한다.

---

skill 12 ○ 본문 37쪽

1 when the cold winds blow / 지금은 차가운 바람이 부는 때이다.
2 when the summer heat starts / 6월은 여름의 열기가 시작되는 달이다.
3 where I live now / 나는 내가 지금 살고 있는 도시 주변을 산책하려고 당신을 초대한다.
4 where kids spend most of their time / 집은 아이들이 자신들의 대부분의 시간을 보내는 장소이다.
5 where I grew up / 나의 부모님은 내가 자란 집에서 여전히 사신다.

어법

6 when, that / 그녀는 전쟁이 일어났던 해에 태어났다.
  ○ 선행사가 때(the year)이므로 관계부사 when이 와야 한다. 관계부사 when은 that으로 대신할 수 있다.
7 where, that / 이곳은 나의 운명이 일어난 장소이다.
  ○ 선행사가 장소(the place)이므로 관계부사 where가 와

야 한다. 관계부사 where는 that으로 대신할 수 있다.

본문 38쪽

1 why I oppose your opinion / 그것이 내가 당신의 의견에 반대하는 이유이다.
2 why the vote is important / 투표가 중요한 몇 가지 이유가 있다.
3 why the relationship is unacceptable / 그것이 그 관계가 용납될 수 없는 한 가지 이유이다.
4 how you are treating me / 나는 당신이 나를 대하는 방법이 맘에 들지 않는다.
5 the way you are / 나는 당신을 있는 그대로 사랑한다.

어법

6 for / 내가 그 해변을 좋아하는 한 가지 이유는 부서지는 파도 소리이다.
   ◐ 선행사가 이유를 나타낼 때 사용하는 관계부사 why는 for which로 바꿀 수 있으므로 for가 와야 한다.
7 in / 당신이 원하는 방법으로 그것을 해라.
   ◐ 선행사가 방법을 나타낼 때 사용하는 관계부사 how는 in which로 바꿀 수 있으므로 in이 와야 한다.

skill 14

본문 39쪽

1 John은 아들이 하나 있는데, 그는 기술자가 되었다.
2 나는 그녀에게 수건을 던졌는데, 그녀가 그것을 빠르게 잡았다.
3 Monica는 5시에 Robert를 만나고 싶었는데, 그 때 그는 그의 사무실에 없었다.
4 나는 할아버지 댁을 방문했는데, 그곳에서 나는 겨울방학을 보냈다.
5 그는 훈련된 조종사인데, 그는 38년 넘게 비행을 해오고 있다.

어법

6 앞 문장 전체 / 그가 하모니카를 정말 잘 연주했는데, 그것은 나를 놀라게 했다.
   ◐ 그가 하모니카를 정말 잘 연주했다는 사실이 나를 놀라게 했으므로 which는 앞 문장 전체를 선행사로 한다.
7 앞 문장 전체 / 너무 어두웠는데, 그것은 그들이 우리를 볼 수 없었다는 것을 의미한다.
   ◐ 너무 어두웠다는 사실이 그들로 하여금 우리를 볼 수 없게 했으므로, which는 앞 문장 전체를 선행사로 한다.

skill 15

본문 40쪽

1 이 사람은 내가 버스 안에서 보았던 소년이다.
2 이것은 내가 당신의 도움을 필요로 했던 그 일이다.
3 여기에 꽃이 피던 때가 있었다.
4 여기는 나의 엄마가 태어난 장소이다.
5 이것이 발생하지 않는 이유는 정치적이고 재정적인 것이다.

어법

6 which is / 독일어로 쓴 책을 너에게 줄게.
   ◐ 주격관계대명사는 be동사와 함께 생략 가능하므로 which와 be동사 is를 생략할 수 있다.
7 who are / 나는 길에서 놀고 있는 아이들의 안전이 걱정된다.
   ◐ 주격관계대명사는 be동사와 함께 생략 가능하므로 who와 be동사 are를 생략할 수 있다.

skill 16

본문 41쪽

1 그가 누구든지, 나는 상관없다.
2 이 법을 어기는 자는 누구나 벌을 받을 것이다.
3 이것을 했던 자가 누구이든 분명히 전문가였다.
4 내가 원하는 것이 무엇이든 나는 꽤 많은 것을 할 수 있다.
5 무슨 일이 일어난다 할지라도, 나를 실망시키지 마.

어법

6 who / 그 책을 원하는 사람은 누구나 그것을 가질 수 있다.
   ◐ '~ 하는 누구나'의 의미인 whoever는 anyone who로 바꿀 수 있으므로 who가 와야 한다.
7 what / 당신이 무슨 말을 할지라도, 나는 흥미가 없다.
   ◐ '무엇을 ~할지라도'의 의미인 whatever는 no matter what과 바꿀 수 있다. 따라서 what이 와야 한다.

skill 17

본문 42쪽

1 네가 원하는 때 언제든지 나를 방문할 수 있다.
2 당신이 온라인으로 무언가를 공유할 때마다 조심해라.
3 당신이 가고 싶은 곳은 어디든 나를 데려 가세요.
4 그녀는 자신이 간 곳이 어디든 환대받았다.
5 그녀가 아무리 열심히 노력했어도, 아무 것도 안되는 것 같았다.

어법

6 However / 아무리 그 일이 어려울지라도 나는 그것을 끝내야 한다.
   ◐ 뒤에 「부사 + 주어 + 동사」의 어순으로 이어지므로

However가 와야 한다.

7 However / 아무리 바쁠지라도 나는 항상 가족과 시간을 보낸다.
  ◑ 뒤에 「형용사＋주어＋동사」의 어순으로 이어지므로 However가 와야 한다.

A 01 owns 02 where 03 which 04 what
   05 However
B 01 ⓐ   02 ⓑ   03 ⓐ   04 ⓐ   05 ⓑ
C 01 that was good but not amazing / 괜찮았지만, 대단하지는 않았던 토마토 스파게티를 먹었다
   02 which made me more embarrassed / 계속 사과를 했는데, 그것이 나를 더욱 당황하게 만들었다
   03 where there are traditional houses / 집들이 있는 마을이 있었다
   04 Whatever you may say / 무슨 말을 한다 할지라도, 그들은 자신들의 마음을 바꾸지 않을 거예요
D 01 I have a friend whose mother is a famous politician.
   02 The painting hanging in the gallery was stolen.
   03 Technology has changed the way people access information.
   04 Whoever has a child knows what I'm talking about.

A
01 그는 이 가게를 소유한 남자이다.
   ◑ 주격 관계대명사의 선행사인 the man이 단수이므로 단수 동사 owns가 와야 한다.
02 이곳은 나의 삶이 시작된 도시이다.
   ◑ 선행사가 장소인 the town이므로 관계부사 where가 와야 한다.
03 당신이 나의 도움을 원하는데, 그것은 당신이 나를 신뢰한다는 의미이다.
   ◑ 앞 문장 전체를 선행사로 취하는 관계대명사는 which이다. that은 계속적 용법으로 사용할 수 없다.
04 누군가가 당신에게 무슨 말을 할지라도 항상 그저 너 자신이 되어라.
   ◑ '무엇이 ∼할지라도'의 의미인 복합관계대명사 whatever은 no matter what으로 바꾸어 쓸 수 있다.
05 그것이 아무리 비싸다고 해도 나는 그 오래된 자동차를 살

것이다.
   ◑ '아무리 ∼해도'의 의미인 복합관계부사 however는 「however＋형용사[부사]＋주어＋동사」의 어순으로 쓰인다.

B
01 이것은 내가 당신에게 주는 마지막 기회이다.
02 이곳은 유명한 코미디언들이 나오는 극장이다.
03 Jackson은 전자 바이올린을 연주하는 가수이다.
04 그는 나에게 그 문제를 숨기려 했고, 그것이 문제들을 더 악화시켰다.
05 그것은 내가 사람들과 대화하기 어려운 이유이다.

CHAPTER 04 주어

1 to see in this ancient city / 이 고대 도시에서 볼 만한 많은 유적지가 있다.
2 along the street / 길을 따라 있는 나무들은 차량에 위험하다.
3 sitting next to you on the plane / 비행기에서 당신의 옆에 앉아 있던 남자는 매우 무례했다.
4 formed as a child / 어릴 때 형성된 좋은 습관들은 중요한 영향을 미친다.
5 where wild animals live / 야생 동물들이 사는 정글은 천천히 사막이 되어 가고 있다.

어법

6 has / 지하철역으로 가는 버스는 아직 오지 않았다.
   ◑ 문장의 주어가 The bus이므로, 단수 동사 has가 와야 한다.
7 behave / 스트레스가 매우 많은 상황에 처한 사람들은 종종 이상하게 행동한다.
   ◑ 문장의 주어가 People이므로, 복수 동사 behave가 와야 한다.

1 failures와 is 사이 / 우리가 실패에서 교훈을 배워야 한다는 것은 중요하다.

2 change와 discourages 사이 / 대부분의 사람들이 변화에 저항한다는 것은 때때로 지도자들을 낙담시킨다.

3 future와 is 사이 / 우리가 더 나은 미래를 위해 계획을 세울 필요가 있다는 것은 사실이다.

4 safe와 is 사이 / 그 새로운 약이 안전한지 아닌지는 확실하지 않다.

5 not과 is 사이 / 당신이 승진할지 아닐지는 모두 당신에게 달려 있다.

어법

6 That / 그가 여전히 당신에 대한 감정을 가지고 있다는 것은 분명하다.
　○ 뒤에 이어지는 절 "he still has feelings for you"는 문장 성분을 모두 갖추고 있으므로, 접속사 that이 와야 한다.

7 is / 그들이 우리의 제안을 받아들일지 아닐지는 불확실하다.
　○ whether가 이끄는 절이 주어로 쓰였으므로, 단수 동사 is가 와야 한다.

1 leader와 was 사이 / 그들이 자신들의 지도자로 누구를 선택할지는 중요한 문제였다.

2 pyramids와 is 사이 / 그들이 어떻게 이 거대한 피라미드를 지었는지는 여전히 수수께끼이다.

3 wrong과 depends 사이 / 옳고 그른 것은 사람들의 관점에 달려 있다.

4 most와 is 사이 / 나를 가장 괴롭히는 것은 내 의견에 대한 당신의 반응이다.

5 gift와 is 사이 / 내가 졸업 선물로 받고 싶은 것은 디지털 카메라이다.

어법

6 Where / 우리가 어디서 하룻밤을 머물게 될지는 중요하지 않다.
　○ 뒤에 이어지는 절은 we will stay one night로 문장 성분을 모두 갖추고 있다. 따라서 부사 역할을 하는 의문사 Where가 와야 한다.

7 What / 내가 너에 대해 좋아하는 것은 나를 웃게 만드는 네 능력이다.
　○ 뒤에 like의 목적어가 없는 불완전한 절이 이어지고 있으므로, 절 안에서 명사 역할을 하는 관계대명사 What이 와야 한다.

1 to stay here with you and fight beside you / 여기에서 당신과 머물면서 당신 옆에서 싸우는 것이 제 의무입니다.

2 to talk on the phone while you're driving / 당신이 운전하는 동안 전화상으로 이야기하는 것은 위험하다.

3 to lose important documents / 중요한 서류를 잃어버리다니 그는 부주의하다.

4 that the pen is more powerful than the sword / 펜이 칼보다 더 강하다는 것은 사실이다.

5 that no one has thought of it before / 아무도 전에 그것에 대해 생각해본 적이 없다는 것은 놀랍다.

어법

6 for / 당신이 미리 쇼핑 목록을 적는 것은 유용하다.
　○ 보통 to부정사의 의미상 주어는 「for+명사」로 나타낸다.

7 of / 그러한 결정을 내리다니 그는 현명하다.
　○ 사람의 성격이나 태도를 나타내는 형용사인 wise가 쓰였으므로, to부정사의 의미상 주어는 「of+명사」로 나타내야 한다.

CHAPTER 04　Exercise　　　본문 50쪽

A **01** is　**02** That　**03** Whom　**04** What　**05** of

B **01** ⓑ　**02** ⓐ　**03** ⓑ　**04** ⓐ　**05** ⓐ
　06 ⓐ　**07** ⓒ　**08** ⓐ　**09** ⓑ　**10** ⓐ

C **01** lots of evidence to support his theory / 뒷받침할 많은 증거가 있다

　02 That camels live without water for a long time / 오랜 시간 동안 물 없이 산다는 것은 가능하다

　03 Whether you believe him or not / 당신이 그를 믿는지 아닌지는

　04 What you say and how you behave / 당신이 무엇을 말하는지와 당신이 어떻게 행동하는지가

　05 to go out in such a heavy rain / 그러한 폭우에 밖에 나가다니

D **01** The accident that happened this morning was horrible.

　02 Whether high school education should be free is today's topic.

　03 How he dealt with the situation is the question.

　04 The school built for deaf children is finally open.

05 is true that the police in many countries carry guns

A

01 서류 가방을 들고 있는 남자가 나에게 접근하고 있다.
- ▶ The man은 문장의 주어로 현재분사구 holding the briefcase의 수식을 받고 있다. The man은 단수이므로 단수 동사 is가 와야 한다.

02 아무도 그 소식을 모른다는 것은 이상하다.
- ▶ 뒤에 이어지는 절 nobody knows the news는 문장 성분을 모두 갖추고 있으므로, 접속사 That이 와야 한다.

03 그녀가 파티에서 누구를 만날 것인지는 분명하지 않다.
- ▶ 뒤에 이어지는 절에서 동사 meet의 목적어가 없으므로, 의문사절 안에서 명사 역할을 할 수 있는 Whom이 와야 한다.

04 필요한 것이 항상 충분하지는 않다.
- ▶ 뒤에 이어지는 절에서 동사 is의 주어가 없으므로, 절 안에서 명사 역할을 하는 관계대명사 What이 와야 한다.

05 우산을 가져오는 것을 잊다니 당신은 부주의하군요.
- ▶ 사람의 성격이나 태도를 나타내는 형용사인 careless가 쓰였으므로, to부정사의 의미상 주어는 「of+명사」로 나타내야 한다.

B

01 그 다음으로 할 일은 회의 날짜를 정하는 것이다.
02 이런 방식으로 그녀를 속이다니 당신은 잔인하군요.
03 처음으로 남극에 도착한 사람은 Roald Amundsen이었다.
04 그 바다를 수영으로 건너는 것은 불가능하다.
05 당신이 자신의 감정을 들여다보는 것이 중요하다.
06 그녀가 우리의 믿음에 동의하는지 아닌지는 중요하지 않다.
07 내가 어린 소년이었을 때, 나는 종종 쉬기 위해 숲에 갔다.
08 내일 무슨 일이 일어날지는 예측될 수 없다.
09 인도에 사는 그 남자는 마술적인 힘을 갖고 있다.
10 그가 언제 출국할지는 아직 정해지지 않았다.

CHAPTER 05 목적어

skill 22 ○ 본문 54쪽

1 그는 그 문제를 해결하기로 약속했다.

2 나는 길에서 노래하는 소년을 전에 만난 적이 있다.
3 그는 모든 동물들에 둘러싸여 있는 노인을 발견했다.
4 우리는 전략적 사고를 가진 사람을 찾고 있다.
5 당신에게 다른 사람들의 비밀을 말하는 사람을 신뢰하지 마라.

어법

6 smiling / 나는 나를 보고 매우 다정하게 웃고 있는 소녀를 알았다.
- ▶ 목적어 the girl과 수식어구 smile의 관계가 능동관계이므로 smiling이 와야 한다.

7 covered / 많은 사람들은 붉은 단풍으로 뒤덮인 산에 오르기 위해 방문한다.
- ▶ 목적어 the mountain과 수식어구 cover의 관계가 수동관계이므로 covered가 와야 한다.

skill 23 ○ 본문 55쪽

1 that good luck is something you can make / 우리는 행운은 당신이 만들 수 있는 어떤 것이라고 믿는다.
2 that the first step is always the hardest / 나는 첫걸음이 항상 가장 어렵다고 생각한다.
3 that you were working as a book store clerk / 나는 당신이 서점 점원으로 일하고 있다고 들었다.
4 whether the next meeting will be in Seattle / 나는 다음 모임이 시애틀에서 열릴지 궁금하다.
5 whether it is beneficial for consumers / 그것이 소비자에게 유익한지 아닌지 시간이 말해줄 것이다.

어법

6 that / 나는 당신이 내게 말하고 싶지 않다는 것을 이해한다.
- ▶ 뒤에 확정된 사실이나 의견이 이어지고 있으므로 접속사 that이 와야 한다.

7 whether / 우리는 그것이 거짓인지 아닌지 고려해야만 한다.
- ▶ 뒤에 불확실한 사실이나 의견이 이어지고 있으므로 접속사 whether가 와야 한다.

skill 24 ○ 본문 56쪽

1 나는 그가 어떻게 그의 일을 그렇게 빨리 끝냈는지 알았다.
2 나의 어머니는 차를 어디에 주차하는지 기억하기 위해 스마트폰을 사용하신다.
3 그 파티가 왜 당신의 희망 목록이 되어야하는지 설명하겠다.
4 당신은 내가 무슨 말을 하고 있는지 이해하는가?
5 나는 많은 돈을 가지고 있지 않았지만, 내가 가진 것을 그들

에게 주었다.

어법

6 what you mean / 나는 당신이 무엇을 의미하는지 모른다.
➡ 의문사절이 문장의 목적어인 경우에는 「의문사+주어+동사~」의 어순이 되어야 하므로 what you mean이 와야 한다.

7 what we want / 우리는 우리가 믿고 싶은 것만 믿는 경향이 있다.
➡ 관계대명사 what절이 문장의 목적어 역할을 하고 있고 목적격 관계대명사절이므로 「의문사+주어+동사~」의 어순이 된다. 따라서 what we want가 되어야 한다.

---

skill 25 ○ 본문 57쪽

1 to see each other / 연기가 서로 보는 것을 어렵게 했다.

2 to only share relevant information / 우리는 오직 관련된 정보를 공유하는 것이 중요하다고 생각한다.

3 to use the subway to get to the airport / 나는 공항에 도착하기 위해 지하철을 이용하는 것이 편리하다는 것을 알았다.

4 to understand / 단순한 언어가 이해하는 것을 더 쉽게 만든다.

5 to apologize after bumping into someone / 나는 누군가와 부딪힌 후에 사과하는 것이 예의라고 생각한다.

어법

6 it / 짙은 안개는 몇 미터 이상 보는 것을 어렵게 한다.
➡ to부정사구가 진목적어가 되어 가목적어 it을 사용하는 경우, 「주어+동사+it+목적격 보어+to부정사」의 형태로 나타내므로 가목적어 it이 와야 한다.

7 rude / 많은 사람들이 사람들 앞에서 공개적으로 동의하지 않는 것은 무례하다고 여긴다.
➡ to부정사구가 진목적어가 되어 가목적어 it을 사용하는 경우, 「주어+동사+it+목적격 보어+to부정사」의 형태로 나타내므로 목적격 보어로 쓰이는 형용사인 rude가 와야 한다.

CHAPTER 05 Exercise 본문 58쪽

A 01 delivered 02 saying 03 that
  04 why I chosen 05 it

B 01 ⓑ 02 ⓑ 03 ⓒ 04 ⓑ 05 ⓐ
  06 ⓐ 07 ⓑ 08 ⓐ 09 ⓐ 10 ⓑ

C 01 the movies that she used to watch / 그녀가 보곤 했던 영화들을
  02 that people are fundamentally good / 사람들은 근본적으로 선하다고
  03 whether they were invited / 그들이 초대되었는지 아닌지
  04 what they were planning / 그들이 계획하고 있는 것을
  05 to point with a finger / 손가락으로 가리키는 것을

D 01 I entered the room filled with laughter.
  02 He didn't realize that Melanie hadn't been to college.
  03 Do what I say, not what I do.
  04 I wonder when my money will be refunded.
  05 Some banks make it difficult to open an account.

A

01 그녀는 문에 배달된 꽃들을 보았다.
➡ 목적어 flowers와 수식어구 deliver의 관계가 수동의 관계이므로 delivered가 와야 한다.

02 그는 그의 연금이 삭감될 것이라고 말하는 편지를 읽었다.
➡ 목적어 the letter와 수식어구 say의 관계가 능동의 관계이므로 saying이 와야 한다.

03 나는 지금쯤은 모든 티켓이 다 팔렸을 것이라고 생각한다.
➡ 뒤에 확정된 사실이나 의견이 이어지고 있으므로 접속사 that이 와야 한다.

04 나는 왜 내가 뽑혔는지 모른다.
➡ 의문사절이 문장의 목적어인 경우에는 「의문사+주어+동사~」의 어순이 되어야 하므로 why I was chosen이 되어야 한다.

05 나는 내 몸을 회복시키는 것이 힘들다는 것을 알았다.
➡ to부정사구가 진목적어가 되어 가목적어 it을 사용하는 경우, 「주어+동사+it+목적격 보어+to부정사」의 형태로 나타내므로 가목적어 it이 와야 한다.

B

01 보행자들은 문을 닫은 가게의 창문에 붙은 안내문을 읽기 위해 멈춘다.

02 당신이 어떤 새로운 아이디어를 소개할 수 있는지 먼저 살펴보세요.

03 이것은 내가 은퇴했을 때 사고 싶었던 것이다.

04 우리는 다른 사람들과 대화하는 동안 눈 마주침을 유지하는

것이 예의라고 생각한다.
05 중요한 것은 우리가 좋아하는 것을 해야 한다는 것이다.
06 그녀는 내가 그녀를 위해 일하는 것에 흥미가 있었는지 내게 물었다.
07 너는 빗속을 걷고 있는 저 소녀를 아니?
08 오늘 우리를 위해 당신이 했던 것에 감사드립니다.
09 당신은 Gillian이 그와 결혼할 것이라고 생각합니까?
10 우리는 상업적 매체를 통해서만 우리에게 알려진 재능에 초점을 맞춘다.

보어

skill **26** ○ 본문 62쪽

1 나의 계획은 그 호텔에서 하룻밤을 더 머무르는 것이다.
2 우리의 임무는 그 행성에서 생명체의 흔적들을 발견하는 것이었다.
3 나의 목표는 내가 서른 살이 되기 전에 나만의 식당을 운영하는 것이다.
4 경찰의 역할은 사회 질서를 유지하는 것이다.
5 중요한 것은 질문하기를 멈추지 않는 것이다.

어법

6 to try, trying / 취미를 갖는 방법은 새로운 무언가를 시도하는 것이다.
7 to erase, erasing / 여러분의 실수를 지우는 것은 여러분의 지혜를 지우는 것이다.
  ○ to부정사(구)와 동명사(구) 둘 다 주격 보어로 쓰일 수 있다.

skill **27** ○ 본문 63쪽

1 that all my grandchildren will live happier lives / 나의 소망은 나의 손자들 모두가 더 행복한 삶을 사는 것이다.
2 that when he finally got the job, he didn't like it / 아이러니한 것은 그가 마침내 일자리를 구했을 때 그가 그것을 마음에 들어하지 않았다는 것이다.
3 that people waste so much energy resources / 문제는 사람들이 너무 많은 에너지 자원을 낭비한다는 것이다.
4 whether robots can sense human thought / 문제는 로

봇이 인간의 생각을 감지할 수 있는지이다.
5 whether boys and girls should go to separate schools / 오늘의 주제는 남자아이들과 여자아이들이 서로 다른 학교에 다녀야 하는지이다.

어법

6 that / 진실은 팀워크가 사업의 중요한 부분이라는 것이다.
7 whether / 중요한 점은 그 남자가 그때 거기에 있었는지이다.
  ○ 괄호 뒤에는 문장 성분을 모두 갖춘 완전한 절이 이어지고 있으므로, 각각 접속사 that과 whether가 와야 한다.

skill **28** ○ 본문 64쪽

1 문제는 언제 내가 아빠에게 그 소식을 전해드릴 것인가이다.
2 중요한 것은 누가 아이디어를 제품으로 바꾸는가이다.
3 이것은 며칠 전에 내가 네게 빌려주었던 것이 아니다.
4 나의 가족과 대화를 하는 것은 나를 행복하게 만드는 것이다.
5 연애 소설은 그가 여가 시간에 즐겨 쓰는 것이다.

어법

6 how she dealt / 중요한 것은 그녀가 어떻게 그러한 상황에 대처했는지이다.
7 what I should do / 문제는 내가 생계를 위해 무엇을 해야 하는가였다.
  ○ 의문사절은 「의문사+주어+동사~」의 어순이 되어야 한다.

skill **29** ○ 본문 65쪽

1 embarrassed / 나는 내 딸이 사람들 앞에서 울었을 때 당황스러웠다.
2 exhausted / 대부분의 학생들은 기말고사를 끝낸 후에 지쳤다.
3 disappointing / 그 소식은 지역 주민들에게 실망스러운 것이었다.
4 confusing / 그녀가 말하는 방식이 일부 청중들에게는 당황스러웠다.

어법

5 annoyed / 나는 늦게 나타난 것에 대해 그에게 매우 짜증이 났다.
  ○ 주어 I가 '짜증 난' 감정을 느낀 것이므로, 과거분사 annoyed가 알맞다.
6 interesting / 그 실험의 결과는 매우 흥미로웠다.
  ○ 주어 The results of the experiment가 '흥미로운' 감정을 느끼게 한 것이므로, 현재분사 interesting이 알맞다.

정답 및 해설 **11**

skill 30

○ 본문 66쪽

1 팬들과 지지자들은 그녀가 최선을 다하기를 원한다.
2 눈이 오고 있었기 때문에, 나는 그에게 집에 오는 길에 조심하라고 말했다.
3 의사는 Daniel에게 매운 음식을 먹는 것을 그만두라고 충고했다.
4 예술은 사람들에게 다양한 문화의 일부를 경험할 수 있도록 한다.
5 높은 석유 가격은 사람들에게 차를 이용하는 것에 대해 두 번 생각하도록 했다.

어법

6 to become / 나는 그가 성공적인 작가가 될 것이라고 기대하지 않았다.
7 to attend / 그녀는 자신의 아들에게 결혼식에 참석하도록 강요했다.
 ○ 동사 expect와 force는 목적격 보어로 to부정사를 취한다.

skill 31

○ 본문 67쪽

1 call my name very loudly / 나는 누군가가 나의 이름을 매우 큰 소리로 부르는 것을 들었다.
2 come into the shop / Susan은 그가 가게 안으로 들어오는 것을 알아차리지 못했다.
3 feel positive about myself / 그 책은 내가 나 자신에 대해 긍정적으로 느끼도록 만들었다.
4 ride on a skateboard on the street / 당신의 자녀가 거리에서 스케이트보드를 타도록 허락해 주지 마세요.
5 discover their dreams / 교사들은 학생들이 자신들의 꿈을 발견하도록 도울 수 있다.

어법

6 crawl / 그는 무언가가 자신의 목 뒤를 가로질러 기어가는 것을 느꼈다.
 ○ 지각동사 feel은 목적격 보어로 동사원형을 취한다.
7 wash / 나의 어머니는 항상 식사 전에 우리가 손을 씻도록 시키셨다.
 ○ 사역동사 have는 목적격 보어로 동사원형을 취한다.

skill 32

○ 본문 68쪽

1 나는 그 쌍둥이 형제가 밖에서 놀고 있는 소리를 들었다.
2 그녀는 검은 고양이 한 마리가 땅 위에 누워 있는 것을 발견

했다.
3 내 친구는 오늘 자신의 지갑을 도난당했다.
4 그들이 도착했을 때, 그들은 그 건물이 파괴된 것을 발견했다.
5 학교 규칙에 따르면, 학생들은 머리카락을 파마할 수 없다.

어법

6 waiting / 당신은 그를 그렇게 오랫동안 계속 기다리게 해서는 안 된다.
 ○ 목적어 him과 wait는 능동 관계이므로, 현재분사 waiting이 와야 한다.
7 examined / 나는 실력 있는 치과의사에 의해 지아를 진찰받았다.
 ○ 목적어 my teeth와 examine은 수동 관계이므로, 과거분사 examined가 와야 한다.

CHAPTER 06 Exercise

본문 69쪽

A 01 improving 02 that 03 how we get
   04 confusing 05 to go
B 01 ⓑ 02 ⓐ 03 ⓑ 04 ⓐ 05 ⓐ
C 01 satisfied / 은메달에 만족해했다
   02 to attack / 가장 좋은 방법은 공격하는 것이다
   03 to write in a diary every day / 나에게 매일 일기를 쓰라고 조언해주셨다
   04 come in / 그가 들어온 것을 알아차리지 못했다
D 01 The key point is that many people seek advice from experts.
   02 The question is who they will choose as a team leader.
   03 I haven't seen him get frustrated.
   04 I felt something approaching me very quickly.

A
01 우리의 임무는 삶의 질을 향상시키는 것이다.
 ○ 동사 is의 주격 보어 자리이므로, 동명사 improving이 알맞다.
02 사실은 내게 또 다른 약속이 있다는 것이다.
 ○ 네모 뒤에는 완전한 절이 이어지고 있고 주격 보어 역할을 해줄 명사절이 필요하므로, 접속사 that이 알맞다.
03 문제는 우리가 어떻게 하면 적은 비용으로 그것을 얻는가이다.
 ○ 의문사절은 「의문사+주어+동사~」의 어순이 되어야 한다.
04 그들이 나에게 말해준 것은 혼란스러웠다.
 ○ 주어 What they told me가 '혼란스러운' 감정을 느끼게

한 것이므로, 현재분사 confusing이 알맞다.

05 나는 그에게 나와 함께 콘서트에 가자고 부탁했다.
　🔵 동사 ask는 목적격 보어로 to부정사를 취한다.

B

01 자존심이 그에게 그 돈을 받도록 허락하지 않았다.

02 중요한 것은 그가 그것을 이해할 것인가 아닌가이다.

03 나는 그녀가 도로를 걸어 내려가는 것을 보았다.

04 이것은 우리가 일어나기를 원하지 않았던 것이다.

05 지금 필요한 것은 우리의 지식을 실천에 옮기는 것이다.

CHAPTER 07 시제와 수동태

skill 33 　🔵 본문 72쪽

1 had met / 나는 그녀가 서울로 떠나기 전에 그녀를 두 번 만난 적이 있었다.

2 had learned / 내가 Jake를 만났을 때 그는 2년 동안 한국어를 배워왔었다.

3 had arrived / 그는 기차가 떠나기 전에 역에 도착했었다.

4 had hurt, could not walk / 나는 발을 다쳐서 걸을 수가 없었다.

5 had already had / 내가 집에 왔을 때 그녀는 이미 점심을 먹었었다.

어법

6 had waited / 나는 아들에게 전화하기 전에 한 시간 동안 기다렸었다.
　🔵 과거 시점(called)을 기준으로 그 전부터 계속 기다려왔다는 내용이므로, 과거완료형(had waited)이 와야 한다.

7 had been / 그녀는 내가 이전에 유럽을 가본 적이 있었는지 궁금해했다.
　🔵 과거 시점(wondered)을 기준으로 그 전의 경험을 궁금해했다는 내용이므로, 과거완료형(had been)이 와야 한다.

skill 34 　🔵 본문 73쪽

1 나의 어머니는 아프기 전에 피아노를 연주했다.

2 그녀는 다섯 살이 되기 전에 스키 타는 법을 배웠다.

3 그는 나를 위해 약간의 꽃을 샀다고 내게 말했다.

4 나는 열심히 공부했고 마침내 그 시험을 통과했다.

5 네가 내게 말해주기 전에는 나는 결코 그 소문을 들어본 적이 없었다.

어법

6 had been doing / Sam이 내게 전화했을 때 나는 숙제를 하고 있었다.
　🔵 Sam이 전화한 과거 시점 더 이전부터 숙제를 해오고 있던 것이므로, 과거완료진행형(had been v-ing)이 와야 한다.

7 had been talking / Jack이 도착하기 전에 그들은 몇 시간 동안이나 이야기를 해오고 있었다.
　🔵 Jack이 도착한 과거 시점 이전부터 그들은 이야기를 하고 있었던 것이므로, 과거완료진행형(had been v-ing)이 와야 한다.

skill 35 　🔵 본문 74쪽

1 그 교회는 1970년에 설립되었다.

2 이 책들은 프랑스어로 쓰였다.

3 그 벽은 우리 가족에 의해 페인트칠해질 것이다.

4 그 기타는 내 남동생에 의해 연주될 것이다.

5 그 강도는 경찰에 의해 붙잡히지 않았다.

어법

6 will not be / 수집된 어떤 정보도 판매되지 않을 것이다.
　🔵 미래시제 수동태의 부정문은 「will not be p.p.」의 형태로 나타낸다.

7 Will it be / 그것은 무료로 배달될까요?
　🔵 미래시제 수동태의 의문문은 「Will+주어+be p.p.」의 형태로 나타낸다.

skill 36 　🔵 본문 75쪽

1 스웨터는 찬물에서 세탁될 수 있다.

2 그녀는 학교 위원회의 구성원으로 뽑힐 수도 있다.

3 같은 실수들이 반복되지 않아야 한다.

4 우리의 최종 보고서는 3월 말까지 제출되어야 한다.

5 세상을 더 안전한 장소로 만들기 위해 무엇이 행해질 수 있나요?

어법

6 be done / 계약서에 서명하기 전에 무엇이 행해져야만 하나요?

7 be fixed / 그 문제들은 한 번의 시도로 고쳐질 수 있다.
　🔵 두 문장 모두 주어와 동사가 수동 관계이므로, 조동사 뒤에 수동태(be p.p.)가 와야 한다.

1 그 모임의 회원들은 나에게 많은 질문을 했다.
2 그의 할아버지는 장난감을 그에게 사주셨다.
3 Peter가 이 아름다운 꽃들을 나에게 주었다.
4 웨이터가 또 하나의 포크를 나에게 가져다주었다.

어법

5 to me / 내 친구가 개 한 마리를 나에게 주었다.
　○ be given 뒤에 「전치사＋사람」이 오는 경우, 전치사 to를 써야 한다.
6 of the actress / 기자들은 영화에 관한 많은 질문들을 그 여배우에게 물었다.
　○ be asked 뒤에 「전치사＋사람」이 오는 경우, 전치사 of를 써야 한다.

1 Michael Jackson은 '팝의 황제'라고 불렸다.
2 나의 어머니는 나에게 살을 빼라고 말했다.
3 Jack의 여자 친구는 그가 살짝 웃는 것을 들었다.
4 그녀의 할아버지는 그녀의 이름을 Isabella라고 지었다.
5 의사는 Cathy에게 매일 산책을 하도록 시켰다.

어법

6 to catch / Luke는 우리가 작은 곤충들을 잡는 것을 보았다.
7 to wait / 그 젊은 남자는 나를 몇 시간 동안 기다리게 했다.
　○ 「be p.p.」 바로 뒤에는 동사가 올 수 없다. 이 경우 의미상 5형식 문장의 목적격 보어 역할을 하는 to부정사가 와야 한다.

1 그 도서관은 학생들에 의해 녹색으로 페인트칠해졌다.
2 그 책은 많은 언어로 번역되었다.
3 시험 결과는 월요일에 발표되었다.
4 백만 달러가 후원자들에 의해 기부되었다.
5 그 컴퓨터는 그의 삼촌에 의해 수리되었다.

어법

6 had not been / 화재의 원인은 밝혀지지 않았다.
7 have not been / 모든 방들이 아직 치워져 있지 않다.
　○ 완료 수동태의 부정문은 「have[has/had] not been p.p.」의 형태이다.

1 나는 내가 매우 많이 사랑받고 있다고 느낀다.
2 그 여우는 사냥꾼에 의해 쫓기고 있다.
3 그 길은 공사에 의해 막히고 있다.
4 그녀는 자신이 누군가에 의해 감시당하고 있다고 느꼈다.
5 부상을 입은 사람들이 병원으로 옮겨지고 있었다.

어법

6 is / 꽃이 그에 의해 나무에서 꺾이고 있다.
　○ 문장의 주어인 The flower는 단수이므로, 단수 동사 is가 와야 한다.
7 were / 중고품들이 반값에 팔리고 있었다.
　○ 문장의 주어인 Secondhand goods는 복수이므로, 복수 동사 were가 와야 한다.

CHAPTER 07 **Exercise**　　　본문 80쪽

A 01 had never spoken　02 were　03 be put
　04 to me　05 were
B 01 ⓑ　02 ⓐ　03 ⓑ　04 ⓐ　05 ⓑ
　06 ⓑ　07 ⓑ　08 ⓐ　09 ⓑ　10 ⓐ
C 01 must not be taken / 사진이 찍혀서는 안 된다
　02 was bought / 그것을 비밀 생일 선물로 그에게 사주었다
　03 has been regarded / 가장 빠른 사람으로 간주되어왔다
　04 are being produced / 그 공장에서 생산되고 있다
　05 was heard / 그녀가 하나님께 기도하는 것을 들었다
D 01 He had already started the experiment when I came. (When I came, he had already started the experiment.)
　02 We were woken up by a loud noise during the night.
　03 A wedding ring was given to me by Martin.
　04 He was elected the captain of our football team.
　05 He had been trained to deal with difficult situations.

A
01 나는 그때까지 그 소녀와 한 번도 이야기해본 적이 없었다.
　○ 과거 시점(then)을 기준으로 그 전의 경험을 말하는 내용이므로, 과거완료형(had never spoken)이 와야 한다.

02 수백 명의 사람들이 열차 사고로 사망했다.

   ◐ 주어 Hundreds of people은 복수이므로, 복수 동사 were가 와야 한다.

03 당신의 귀중품은 안전한 장소에 보관되어야 합니다.

   ◐ 주어 Your valuables와 동사 put이 수동 관계이므로, 조동사 should 뒤에는 수동태 be put이 와야 한다.

04 이 책은 내가 네 나이였을 때 나에게 주어졌다.

   ◐ be given 뒤에 「전치사+사람」이 오는 경우, 전치사 to를 써야 한다.

05 문제는 부정적인 말에 의해 만들어지고 있었다.

   ◐ 주어 Problems가 복수이므로, 복수 동사 were가 와야 한다.

B

01 그는 자신이 약속했던 것을 지켰다.

02 그녀는 캐나다를 여러 번 방문했다.

03 그녀는 일주일 동안 부모님 집에서 머물렀다.

04 우리는 그 프로그램을 사용하는 법을 배운 적이 없었다.

05 회의가 끝난 후 그들은 집으로 돌아갔다.

06 Jack은 담요에 둘러싸여 있었다.

07 경기장은 학생들에 의해 사용되고 있었다.

08 당신은 우리에게 준비할 시간을 약간 더 주어야 한다.

09 중요한 연설이 시장에 의해 행해질 것이다.

10 그녀는 한 달 동안 소방서에서 자원봉사자로 일해왔다.

CHAPTER 08 조동사와 가정법

skill 41   ◐ 본문 84쪽

1 나는 내 지갑을 도서관에 놓고 왔을지도 모른다.

2 John이 그 소식을 들었을 리가 없다.

3 디자인이 변경되었다는 것을 그가 알아차렸을지도 모른다.

4 Jackson이 선수권대회에서 우승을 했을지도 모른다.

5 그녀가 비밀을 누설했을 리가 없다.

어법

6 may not have done / 너의 도움이 없었다면 나는 그것을 할 수 없었을지도 모른다.

7 may not have noticed / 당신이 알아차리지 못했을지도 모르지만, 제가 이곳에 책임을 맡고 있습니다.

   ◐ 「may have p.p.」의 부정형은 「may not have p.p.」이다.

skill 42   ◐ 본문 85쪽

1 나는 집에 오는 도중에 내 열쇠를 떨어뜨렸음에 틀림없다.

2 우리는 엉뚱한 방으로 들어온 것이 틀림없다.

3 Jane은 그들이 그녀에 대해 말하고 있었음에 틀림없다고 확신한다.

4 그는 어제부터 아팠음에 틀림없다.

5 그녀는 마늘빵을 주문하는 것을 잊은 것이 틀림없다.

어법

6 must have / 그녀는 자신의 집안에 있는 낯선 사람들을 보았을 때 무서워했음에 틀림없다.

   ◐ she saw strangers를 통해 과거 사실에 대한 강한 추측임을 알 수 있다. 따라서 must have가 와야 한다.

7 must have / Robert는 새로운 세계 기록을 세웠다. 그는 열심히 훈련했음에 틀림없다.

   ◐ Robert set a new world record를 통해 과거 사실에 대한 강한 추측임을 알 수 있다. 따라서 must have가 와야 한다.

skill 43   ◐ 본문 86쪽

1 당신은 나의 제안을 받아들였어야 했다.

2 나는 자기 직전에 너무 많이 먹지 말았어야 했다.

3 당신은 다른 사람들을 더 사려 깊게 대했어야 했다.

4 Mike는 그 기자에게 고함치지 말았어야 했다.

5 당신은 그 사실을 나에게 더 일찍 알렸어야 했다.

어법

6 have come / 당신은 어젯밤 파티에 왔어야 했다.

   ◐ 부사 last night을 통해 과거 사실에 대한 유감을 나타내고 있음을 알 수 있다. 따라서 should have come의 형태가 되어야 한다.

7 have returned / 나는 지난 주에 책을 도서관에 반납했어야 했다.

   ◐ 부사 last week을 통해 과거 사실에 대한 유감을 나타내고 있음을 알 수 있다. 따라서 should have returned의 형태가 되어야 한다.

skill 44   ◐ 본문 87쪽

1 were / 내가 너라면, 새 일을 찾기 시작할 텐데.

2 knew / 내가 그녀의 휴대전화 번호를 안다면, 그녀에게 문자 메시지를 보낼 수 있을 텐데.
3 took / 그녀가 지하철을 탄다면, 늦지 않을 텐데.
4 were / 당신이 10년 더 젊어진다면 무엇을 하겠는가?
5 were / 그가 더 친절하다면, 우리는 친구가 될 텐데.

어법

6 were / 내가 부유하다면, 상점에 있는 모든 것을 살 텐데.
   ◎ 현재 사실과 반대되는 가정법 과거이므로 be동사는 were가 되어야 한다.
7 weren't / 눈이 내리지 않는다면, 내가 밖에 나갈 수 있을 텐데.
   ◎ 현재 사실과 반대되는 가정법 과거이므로 be동사는 were가 되어야 한다. 따라서 weren't가 와야 한다.

---

skill 45   ◎ 본문 88쪽

1 had known / 당신이 병원에 입원했다는 것을 알았다면, 나는 당신을 방문했을 텐데.
2 had been / 배가 고팠다면, 나는 뭔가를 먹었을 텐데.
3 had been / 날씨가 더 좋았더라면, 나는 마당에 앉아 있었을 텐데.
4 had invited / 그들이 나를 초대했더라면, 나는 그들과 시간을 보냈을 텐데.
5 had had / 내가 영화감독이 될 기회를 가졌더라면, 나는 주저하지 않았을 텐데.

어법

6 work / 당신이 열심히 일한다면, 당신은 결국 당신의 목표를 성취할 것이다.
   ◎ 단순 조건문에서 조건절의 동사는 현재형이므로 work가 와야 한다.
7 choose / 당신이 이 버튼을 누른다면, 게임을 선택할 수 있다.
   ◎ 단순 조건문에서는 주절에 「주어＋조동사의 현재형＋동사원형 ～」의 형태를 사용하므로 동사원형 choose가 와야 한다.

---

skill 46   ◎ 본문 89쪽

1 내가 작년에 열심히 공부했다면, 지금 대학생일 텐데.
2 내가 어젯밤 늦게 영화를 보지 않았다면, 오늘 피곤함을 느끼지 않을 텐데.
3 그가 전쟁에 나가지 않았다면, 지금 휠체어에 앉아 있지 않을 텐데.

---

4 내가 그 직업을 선택했다면, 지금 훨씬 더 부유할 텐데.
5 당신의 도움이 없었다면, 나는 지금 안전할 수 없을 텐데.

어법

6 hadn't gone / Jane이 어제 파티에 가지 않았다면, 그녀는 오늘 바쁘지 않을 텐데.
   ◎ Jane이 어제 파티에 갔던 사실이 오늘 바쁜 상황에 영향을 주는 혼합 가정법이므로, if절에 동사의 과거완료형(hadn't gone)이 와야 한다.
7 had rented / 내가 어제 자동차를 빌렸다면, 지금 원하는 곳 어디든지 갈 수 있을 텐데.
   ◎ 어제 자동차를 빌리지 않았던 사실이 오늘 원하는 곳에 가지 못하게 된 상황에 영향을 주는 혼합 가정법이므로, if절에 동사의 과거완료형(had rented)이 와야 한다.

---

skill 47   ◎ 본문 90쪽

1 모든 아이들이 그와 같다면 좋을 텐데.
2 내가 학교에서 더 많은 것을 배웠다면 좋았을 텐데.
3 내가 너와 같은 사람들을 더 많이 만날 수 있으면 좋을 텐데.
4 우리 학교 팀이 그 축구 경기에서 이겼다면 좋았을 텐데.
5 내가 여동생[언니/누나]과 방을 같이 쓰는 대신에 나만의 방을 갖는다면 좋을 텐데.

어법

6 were / 그가 나와 함께 지금 이곳에 있다면 좋을 텐데.
   ◎ right now를 통해 실현 가능성이 희박한 현재의 소망을 나타낸 것임을 알 수 있다. 따라서 가정법 과거 형태인 were가 와야 한다.
7 had passed / 내가 지난 학기에 화학 시험을 통과했다면 좋았을 텐데.
   ◎ last semester를 통해 과거에 이루지 못한 일에 대한 아쉬움을 나타낸 것임을 알 수 있다. 따라서 가정법 과거완료 형태인 had passed가 와야 한다.

---

skill 48   ◎ 본문 91쪽

1 나는 우리의 결혼식이 마치 어제 일어났던 일인 것처럼 여전히 기억해요.
2 그녀는 그가 마치 자신의 손자인 것처럼 그를 사랑했다.
3 그는 그 일이 마치 자신의 일인 것처럼 느낀다.
4 나는 마치 과거로 돌아가고 있는 것처럼 느꼈다.

5 그는 마치 그 사고에 대해 모든 것을 알고 있었던 것처럼 말했다.

어법

6 had visited / Peter는 마치 작년에 모스크바를 방문한 적이 있었던 것처럼 말했다.
   ○ Peter가 말한 시점이 과거이고 모스크바에 방문한 것은 더 이전 과거이므로, 가정법 과거완료 형태인 had visited가 와야 한다.

7 were / 그는 마치 아이처럼 잠들었다.
   ○ 아이 같은 모습으로 잠잤다는 내용이므로, 가정법 과거 형태인 were가 와야 한다.

CHAPTER 08 Exercise   본문 92쪽

A 01 should have called   02 had happened
   03 had married   04 were   05 had been
B 01 ⓐ   02 ⓓ   03 ⓒ   04 ⓑ   05 ⓓ
   06 ⓐ   07 ⓐ   08 ⓑ   09 ⓑ   10 ⓑ
C 01 좋은 기억력을 가지고 있다면, 나는 덜 걱정할 텐데
   02 살아있었다면, 그녀는 정의를 위해 싸우고 있었을 것이다
   03 아버지의 충고를 받아들였다면, 지금 어려움에 처해 있지 않을 텐데
   04 그녀만큼 프랑스어를 잘할 수 있으면 좋을 텐데
   05 마치 극도로 집중하고 있는 것처럼 보였다
D 01 He may not have seen my text message.
   02 He must have tried to get out of the car.
   03 If I had had more time, I would have done more things.
   04 I wish he had given me a ride this morning.
   05 He walked past us as if we did not exist.

A

01 나는 어제 그녀에게 전화를 걸었어야 했다.
   ○ 여자에게 전화를 하지 않은 것을 후회하는 내용이므로 should have called가 와야 한다.
02 만약 그 일이 일어났다면, 내가 그의 마음을 아프게 했을 것이다.
   ○ 과거 사실과 반대되는 일에 대한 가정이므로 가정법 과거완료 형태인 had happened가 와야 한다.
03 그가 그녀와 결혼했다면 지금 혼자가 아닐 텐데.
   ○ 그녀와 결혼한 과거의 사실이 혼자가 아니라는 현재의 상황에 영향을 미치고 있으므로, 혼합 가정법의 형태인

had married가 와야 한다.

04 이 결혼식이 나의 결혼식이라면 좋을 텐데.
   ○ 실현 가능성이 희박한 현재의 소망을 나타내고 있으므로, 가정법 과거 형태인 were가 와야 한다.

05 그 화염은 마치 고의로 시작되었던 것처럼 보인다.
   ○ 화염이 시작된 시점은 주절의 시점보다 앞서 있으므로, 가정법 과거완료 형태인 had been이 와야 한다.

B

01 그는 독감에 걸렸을지도 모른다.
02 당신은 그에게 어떤 것도 약속하지 말았어야 했다.
03 누군가가 책상 위에서 내 연필을 가져갔음이 틀림없다.
04 공사 소음 때문에 그녀가 잠을 잤을 리가 없다.
05 우리는 그의 제안을 따랐어야 했다.
06 내가 네 입장에 처한다면 즉시 그 자리에서 사임할 텐데.
07 내 딸이 자신의 방을 치우면 좋을 텐데.
08 그 차가 멈추지 않았다면, 그녀는 심하게 부상당했을 것이다.
09 그는 내가 생각하고 있었던 것을 마치 알았던 것처럼 웃는다.
10 내가 당신의 연락처를 잃어버리지 않았다면 좋았을 텐데.

CHAPTER 09   접속사와 분사구문

skill 49   ○ 본문 96쪽

1 그녀는 좋은 자리를 얻기 위해 일찍 출발했다.
2 나는 파이를 만들기 위해 호두를 좀 샀다.
3 나는 아픈 사람들을 치료하기 위해 의사가 되기를 원한다.
4 그는 건강을 유지하기 위해 매일 아침에 조깅을 한다.
5 나는 중요한 것을 기억하기 위해 메모를 한다.

어법

6 so that / 그는 도움을 요청하기 위해 소리쳤다.
   ○ 괄호 뒤에는 행위(cried out)의 목적이 나타나 있으므로, 'so that'이 알맞다.

7 , so that / 그녀가 나를 차로 태워줘서 나는 직장에 늦지 않았다.
   ○ 괄호 뒤에는 행위(gave me a ride)의 결과가 나타나 있으므로, ', so that'이 알맞다.

1 그녀가 영어를 너무 빠르게 말해서 나는 그녀의 말을 이해할 수 없었다.

2 그 그림은 너무 비싸서 아무도 그것을 살 수 없었다.

3 그녀가 너무 아름답게 노래를 불러서 모든 사람들이 그녀를 향해 박수를 쳤다.

4 그의 힘이 너무 커서 우리는 그의 말을 따르지 않을 수가 없다.

5 그의 연설은 너무 지루해서 나는 거의 잠이 들 뻔 했다.

어법

6 so / 그 농구선수는 너무 유명해서 모든 사람들이 그를 알아본다.
   ◎ 괄호 바로 뒤에 형용사와 that절이 이어지는 것으로 보아, 「so+형용사+that…」 구문이므로 so가 와야 한다.

7 such / 그곳은 너무 큰 도시여서 그들은 그곳을 셋으로 나누기로 결정했다.
   ◎ 괄호 바로 뒤에 「a+형용사+명사+that…」이 이어지는 것으로 보아, 「such+a(n)+형용사+명사+that…」 구문이므로 such가 와야 한다.

1 활짝 웃으면서, 그녀는 나에게 손을 흔들었다.

2 내 친구들 중 한 명은 미국에 가서, 자신의 가족을 만났다.

3 공항에 도착한 후에, John은 호텔까지 택시를 타고 갔다.

4 영화를 보는 동안, 그녀는 줄곧 울고 있었다.

어법

5 As / 휴대폰으로 통화하면서, 그녀는 자신의 가방 안을 보았다.
   ◎ '~하면서'라는 뜻의 접속사 As가 와야 해석상 자연스럽다.

6 When / 창밖을 보았을 때, 나는 낯선 남자를 보았다.
   ◎ '~할 때'라는 뜻의 접속사 When이 와야 해석상 자연스럽다.

1 너무 많은 양의 커피를 마셔서, 나는 잠을 잘 잘 수가 없었다.

2 그는 외국인이어서, 그 농담을 이해하지 못했다.

3 나는 다음에 무슨 말을 해야 할지 몰라서, 그저 그녀를 응시했다.

4 오른쪽으로 돌면, 너는 나의 집을 발견할 거야.

5 날씨가 허락한다면, 우리는 밖에서 자유 시간을 보낼 것이다.

어법

6 Not knowing / 그녀의 전화번호를 몰라서, 나는 그녀에게 연락할 수 없었다.

7 Not working out / 규칙적으로 운동하지 않으면, 당신은 체중을 줄일 수 없다.
   ◎ 분사구문의 부정은 분사의 앞에 not이나 never를 써서 나타낸다.

1 그는 남배를 끊고 나서, 운동을 시작했다.

2 입장권을 가져오지 않아서, 그녀는 당황스럽다.

3 세차를 하고 나서, 나는 앞문에 있는 작은 긁힌 자국을 알아차렸다.

4 사람들은 온종일 먹지 않아서, 정말로 배가 고프다.

5 그는 어린 시절을 뉴욕에서 보냈기 때문에, 영어를 잘할 수 있다.

어법

6 Having taken / 샤워를 한 후, 그는 식당에 들어갔다.
   ◎ 식당에 들어간 시점보다 먼저 샤워를 한 것이므로, 완료형 분사구문(Having p.p.)이 와야 한다.

7 Having met / 전에 그녀를 만난 적이 있어서, 나는 그녀를 바로 알아봤다.
   ◎ 그녀를 알아본 시점보다 먼저 그녀를 만난 것이므로, 완료형 분사구문(Having p.p.)이 와야 한다.

1 초대장을 받아서, 당신은 이 행사에 참가할 수 있습니다.

2 군중에 둘러싸여 있어서, 그녀는 아마 그 외침을 듣지 못했을 것이다.

3 시험을 준비하지 않아서, 나는 그 질문들에 답할 수 없었다.

4 간단한 영어로 쓰여 있어서, 그 책은 읽기 쉬웠다.

어법

5 Having been run / 그는 어젯밤에 차에 치여서, 지금 우리와 함께 있을 수 없다.

6 Having been bitten / 그는 어렸을 때 개에 물렸기 때문에, 개를 두려워한다.
   ◎ 두 문장 모두 주절 앞의 내용이 시간상 먼저 일어난 일이므로, 완료수동형 분사구문(Having been p.p.)이 와야 한다.

◐ 본문 102쪽

1 그는 입을 벌린 채로 하늘을 응시했다.
2 그는 등을 벽에 기댄 채로 내게 이야기했다.
3 나는 라디오를 켠 채로 고속도로를 운전하고 있었다.
4 그는 다리를 넓게 벌린 채로 서 있었다.
5 다른 사람들이 당신과 너무 가까이 있을 때 당신은 불편할 수도 있다.

어법

6 closed / 그녀는 눈을 감은 채로 음악을 들었다.
   ◐ her eyes와 동사 close는 수동 관계이므로, 과거분사 closed가 와야 한다.
7 sleeping / Kenny는 자신의 부인이 소파 위에서 자고 있을 때 저녁 식사를 준비했다.
   ◐ his wife와 동사 sleep은 능동 관계이므로, 현재분사 sleeping이 와야 한다.

CHAPTER 09 Exercise

본문 103쪽

A 01 so   02 Not knowing   03 Awarded
   04 rolling   05 Not having met
B 01 ⓐ   02 ⓑ   03 ⓑ   04 ⓐ   05 ⓑ
C 01 Cleaning his house / 청소하면서, 그는 상자 안에서 사진첩을 발견했다
   02 Being angry at my words / 화가 나서, 그는 내 질문에 전혀 대답하지 않았다
   03 Not having finished the homework / 끝내지 못했기 때문에, 그는 그것을 밤사이에 해야 했다
   04 Seen from the plane / 볼 때, 그 산은 단풍으로 뒤덮여 있었다
D 01 They trapped the insect so that it could not fly away.
   02 It was such a difficult exam that I was completely exhausted.
   03 Having bought the house, we painted it white.
   04 He was approaching me with his boots covered in mud.

A
01 나는 너무 바빠서, 그를 방문할 수 없었다.
   ◐ 괄호 바로 뒤에 형용사와 that절이 이어지는 것으로 보아, 「so+형용사+that…」 구문이므로 so가 와야 한다.

02 무슨 말을 해야 할지 몰라서, 나는 그곳에 서 있었다.
   ◐ 분사구문의 부정은 분사 앞에 not이나 never를 쓰므로, Not knowing이 알맞다.
03 상을 받은 후에, 그는 수상 소감을 말했다.
   ◐ 분사구문의 주어(he)는 동작(award)의 대상이므로, 수동형 분사구문(Being p.p.)이 와야 한다. 이 문장에서는 맨 앞의 Being이 생략되었다.
04 그녀는 볼에 눈물을 흘리면서 나를 쳐다보았다.
   ◐ tears와 동사 roll은 능동 관계이므로, 현재분사 rolling이 와야 한다.
05 수업 전에 나를 만난 적이 없어서, 그녀는 나에 대해 알지 못한다.
   ◐ 주절 앞의 내용이 시간상 먼저 일어난 일이므로, 완료형 분사구문(having p.p.)이 와야 한다.

B
01 Sandra는 노래를 흥얼거리면서 화장을 하고 있었다.
02 이상한 소리를 들어서, 그는 걸음을 멈추고 뒤를 돌아보았다.
03 모기가 신경 쓰여서, 나는 내 일에 집중할 수 없었다.
04 의자에 앉아 다리를 흔들면서, 그는 책을 읽고 있었다.
05 그 장소는 사람들에게 잘 알려져 있어서, 항상 많은 관광객들로 붐빈다.

CHAPTER 10   강조·부정·도치

◐ 본문 106쪽

1 내가 이 순간 가장 보길 원하는 사람은 바로 나의 엄마이다.
2 어린 아이들의 창의력을 발달시킬 수 있는 것은 바로 장난감이다.
3 그녀가 아버지의 질병에 대해 들었던 것은 바로 일주일 전이었다.
4 내가 가족사진을 걸어두었던 곳은 바로 거실이었다.
5 너희 부모님에게 진실을 말해주었던 사람은 바로 그였다.

어법

6 that, when / 나의 아버지가 우리 집을 지은 때는 바로 작년이었다.
   ◐ 「It is[was] … that ~」 강조 구문으로 시간에 관한 표현(last year)이 강조되고 있으므로, that이나 when이 올

수 있다.
7 which, that / 그녀가 들판에서 가져온 것은 바로 꽃이었다.
   ◑ 「It is[was] … that ~」 강조 구문으로 사물(flowers)이 강조되고 있으므로, which나 that이 올 수 있다.

skill 57   ◐ 본문 107쪽

1 탑승한 학생들 중 아무도 부상을 당하지 않았다.
2 어떤 채소도 이 식사에 포함되어 있지 않다.
3 나는 여러 번 종업원을 불렀지만, 그는 결코 오지 않았다.
4 나는 긴장해서 한 마디 말도 전혀 할 수가 없다.

어법
5 is / 그들은 둘 다 네 사업에 관심이 없다.
6 has / 너희는 둘 다 무슨 일이 일어났는지에 관해서 내게 어떤 정보도 주지 않았다.
   ◑ 「neither of+명사」가 주어로 쓰인 경우, 단수 동사가 와야 한다.

skill 58   ◐ 본문 108쪽

1 당신은 세부사항을 전부 이해할 필요가 없다.
2 모든 해결책이 새로운 기술을 필요로 하는 것은 아니다.
3 그는 시간 제약 때문에 두 역할을 다 할 수는 없다.
4 매체가 항상 진실을 전달하는 것은 아니다.
5 부유함이 반드시 행복을 의미하는 것은 아니다.

어법
6 is / 모든 사람이 입에 은수저를 물고 태어나는 것은 아니다.
   ◑ 주어에 every가 포함되어 있으므로 단수 취급하여, 단수 동사 is가 와야 한다.
7 were / 모든 사진이 네 장치에서 삭제된 것은 아니다.
   ◑ 주어에 all이 포함되어 있으므로 복수 취급하여, 복수 동사 were가 와야 한다.

skill 59   ◐ 본문 109쪽

1 그녀는 아름다울 뿐만 아니라 똑똑하다.
2 나는 다시는 그런 어리석은 일을 하지 않을 것이다.
3 나는 그가 비디오를 녹화하고 있다는 것을 거의 알지 못했다.
4 나는 학교 도서관에서 그녀를 거의 못 본다.
5 나는 그렇게 완전히 부정확한 기사는 좀처럼 읽어본 적이 없다.

어법
6 was / 그는 좋은 요리사였을 뿐만 아니라, 그는 사업도 운영했다.

◑ 부정어구 Not only가 문장 맨 앞에 나와서 주어(he)와 동사(was)가 도치된 문장이다.
7 can / 나는 강한 햇빛 때문에 거의 눈을 뜨고 있을 수가 없다.
   ◑ 부정어 Hardly가 문장 맨 앞에 나와서 주어(I)와 조동사(can)가 도치된 문장이다.

skill 60   ◐ 본문 110쪽

1 내 머리 바로 위로 모형 비행기가 지나갔다.
2 침대 옆에 있는 탁자 위에 몇 개의 와인 병이 있었다.
3 잔디 위로 여기저기에 아름다운 꽃들이 있었다.
4 사진의 오른쪽에 Como 호수가 있다.
5 소파에서 위아래로 아이들이 깡충깡충 뛰었다.

어법
6 sits a house / 강 건너편에 큰 마당이 딸린 집이 있다.
7 she sold / 길모퉁이에서 그녀는 떡을 팔았다.
   ◑ 장소나 방향을 나타내는 부사(구)가 문장 맨 앞에 오면 도치가 일어난다. 그러나 주어가 대명사인 경우 도치는 일어나지 않는다.

🤖 CHAPTER 10 **Exercise**   본문 111쪽

A 01 that   02 None   03 is   04 will I
  05 came a warrior
B 01 ⓐ   02 ⓑ   03 ⓐ   04 ⓐ   05 ⓑ
C 01 가장 긴 다리를 세웠던 이들은 바로 이 사람들이었다
  02 항상 좋은 영화로 이어지는 것은 아니다
  03 드레스나 치마를 좀처럼 입지 않는다
  04 낚싯대를 가지고 있는 한 남자가 있다
D 01 It was his wife that told the police.
  02 He didn't have the courage to refuse it at all.
  03 Not a single thing did I want to sing!
  04 Into the ground he pushed a pole.

A
01 세상에서 처음으로 신을 만들었던 것은 바로 두려움이었다.
   ◑ 「It is[was] … that ~」 강조 구문을 사용하여 fear를 강조한 문장이다. fear는 시간에 관한 표현이 아니므로 that 대신에 when을 쓸 수는 없다.
02 학생들 중 아무도 결석하지 않았다.
   ◑ 「None of 명사」는 '~중 아무도'라는 뜻으로, 문장의 내용 전체를 부정할 때 쓰는 표현이다.

03 모든 아이들이 집에서 아침식사를 할 수 있는 것은 아니다.

⊚ 주어에 every가 포함되어 있으므로 단수 취급하여, 단수 동사 is가 와야 한다.

04 나는 다시는 그렇게 늦게까지 깨어 있지 않을 것이다.

⊚ 부정어구 Never again에 의해 도치된 문장으로, 「부정어(구)＋조동사＋주어＋동사～」의 어순이 되어야 한다.

05 북부에서 한 전사가 왔다.

⊚ 장소나 방향을 나타내는 부사(구)가 문장 맨 앞에 올 때, 「부사(구)＋동사＋주어～」의 어순이 되어야 한다.

B

01 그녀의 부모님 둘 다 그녀가 강아지를 키우는 것을 허락하지 않았다.

02 낮은 가격이 반드시 낮은 품질을 의미하는 것은 아니다.

03 직원 대부분이 중국어를 전혀 못했다.

04 그는 남에게서 배울 기회를 결코 놓치지 않는다.

05 그 남자가 그들을 둘 다 구할 수는 없었다.

Workbook

명사절 Workbook

단어 Review 본문 114쪽

A 01 분명한   02 노력   03 판단   04 증거
05 ~을 다루다   06 추구하다   07 의사소통   08 토론
09 지역사회   10 성격   11 담배   12 실망스러운
13 분명한   14 성공하다   15 불확실한   16 토론하다
17 자신감   18 기술   19 태도   20 예상

B 01 harmful   02 doubt   03 affect   04 spread
05 discover   06 physical   07 link   08 handle
09 concern   10 economy   11 take place   12 fear
13 area   14 add   15 cause   16 mental
17 unknown   18 exist   19 proposal
20 pass away

개념 Review 본문 115쪽

A 01 ○   02 ×   03 ×   04 ○   05 ×
B 01 was   02 you will   03 whether   04 What
05 Whether
C 01 that   02 what   03 is   04 whether   05 what

해석 Practice ① 본문 116쪽

01 that you tried something new / 당신이 새로운 무언가를
시도했다는 것
02 that she was once a famous pianist / 그녀가 한때 유명
한 피아니스트였다는 것
03 That she won the marathon in the Olympics / 그녀가
올림픽 마라톤에서 우승했다는 것
04 that our building is quite old / 우리의 건물이 아주 낡았다는
05 that loneliness brings deep emotional pain / 외로움이
깊은 감정적인 고통을 가져온다는 것
06 that he can make it / 그가 해낼 수 있다는
07 That my grandparents had a car accident / 우리 조부
모님이 교통사고를 당했다는 것
08 that he should stay here for a while / 그가 한동안 여기

에서 머물러야 한다는 것
09 that he gets easily excited / 그가 쉽게 흥분한다는 것
10 that we need to make a new energy policy / 우리가 새
로운 에너지 정책을 만들 필요가 있다고
11 Whether they are alive / 그들이 살아 있는지 아닌지
12 if he was making any mistakes / 그가 무슨 실수라도 하
고 있는지 아닌지
13 whether the hotel is located near downtown / 그 호텔
이 시내 근처에 위치해 있는지 아닌지
14 Whether your answer is right or wrong / 네 대답이 옳은
지 그른지
15 whether she is interested in me / 그녀가 내게 관심이 있
는지 없는지
16 whether we should be able to study at cafés / 우리가
카페에서 공부할 수 있어야 하는지 아닌지
17 whether a person is lying or telling the truth / 사람이
거짓말을 하고 있는지 아니면 진실을 말하고 있는지
18 if he will get married with her / 그가 그녀와 결혼할지 아
닐지
19 whether fruit juices are good for children / 과일 주스가
아이들에게 좋은지 아닌지
20 whether you join us on our trip / 네가 우리의 여행에 함
께 하는지 아닌지

해석 Practice ② 본문 118쪽

01 how serious his injury is / 그의 부상이 얼마나 심각한지
02 what this word means / 이 단어가 무엇을 의미하는지
03 Who painted this picture / 누가 이 그림을 그렸는지
04 Why the dinosaurs died out / 왜 공룡이 멸종되었는지
05 How you treat others / 당신이 어떻게 다른 사람들을 대하
는지
06 where I can find the information / 내가 어디에서 그 정보
를 찾을 수 있는지
07 whom I should thank for the birthday gift / 내가 생일 선
물에 대해 누구에게 감사를 전해야 할지
08 who made the first electric clock / 누가 최초의 전자시계
를 만들었는지
09 where his office moved to / 그의 사무실이 어디로 옮겼는지

10 which TV program they should watch / 그들이 어떤 TV 프로그램을 봐야 하는지

11 what I found in your room / 내가 네 방에서 찾은 것

12 What I experienced in a dream / 내가 꿈에서 경험했던 것

13 what they might need / 그들이 필요할지도 모르는 것

14 What I discovered / 내가 발견한 것

15 what we didn't want to happen / 우리가 일어나길 원하지 않았던 것

16 What's important when studying / 공부할 때 중요한 것

17 what he was saying / 그가 말하고 있던 것

18 what he suggested / 그가 제안했던 것

19 what makes her happy / 그녀를 행복하게 만드는 것

20 What I need most now / 내가 지금 가장 필요한 것

02 수식어구 Workbook

단어 Review 본문 120쪽

A 01 발견하다 02 행진 03 걸다, 매달다
04 절, 사원 05 발명품 06 고대의 07 화산
08 앞치마 09 감정 10 모기 11 둥지 12 짖다
13 요리사 14 목걸이 15 바퀴 16 파괴하다
17 주제 18 뒷마당 19 잡히다 20 마이크

B 01 client 02 suit 03 lab 04 gate 05 farm
06 silly 07 sidewalk 08 disappointed
09 attract 10 convenient 11 path 12 drug
13 point to 14 duck 15 announce 16 mistake
17 stretch 18 careless 19 sudden
20 credit card

개념 Review 본문 121쪽

A 01 ○ 02 × 03 × 04 × 05 ○
B 01 burning 02 to write on 03 not to pay
04 to visit 05 were
C 01 make 02 to wear 03 not to miss
04 thrown away 05 to play with

해석 Practice ① 본문 122쪽

01 당신의 위에서 밝게 빛나는 별들을 보세요.

02 역에 서 있는 한 남자가 있었다.

03 내 아파트 건물 밖에서 원을 그리며 날고 있는 새들이 있다.

04 도시를 가로지르며 흐르는 아름다운 강이 있다.

05 책상 위에서 타고 있는 양초는 아름답다.

06 바다에 가라앉고 있는 배를 보는 것은 정말 무섭다.

07 당신은 저 모퉁이에서 표지판을 들고 있는 사람들을 발견할 것이다.

08 나는 공원에서 애완동물을 산책시키는 한 남자를 방금 지나쳤다.

09 이것은 인도에서 혼자 신문을 읽고 있는 한 남자의 사진이다.

10 노란색 우비를 입고 있는 소녀가 내 손녀이다.

11 구름으로 뒤덮인 산을 보아라.

12 누군가에 의해 망가진 저 자동차가 내 것이다.

13 재봉틀은 직물을 바느질하기 위해 사용되는 기계이다.

14 자연의 법칙은 인간에 의해 만들어진 법칙과는 다르다.

15 나는 중국어로 쓰인 책을 샀다.

16 나는 행사에 초대된 모든 사람들의 목록을 만들었다.

17 '도마뱀에 물린 소년'은 이탈리아 화가 Caravaggio가 그린 그림이다.

18 그녀는 하얀색으로 칠해진 집을 소유하기를 원한다.

19 전쟁에서 부상당한 대부분의 병사들은 집으로 돌아올 수 없었다.

20 그 회사에 의해 만들어진 모든 음료들은 맛이 아주 좋다.

해석 Practice ② 본문 124쪽

01 to take care of / 나는 처리해야 할 몇 가지 일들을 갖고 있다.

02 to sit on for my living room / 나는 거실에서 앉을 가죽 소파를 샀다.

03 to write with / 당신은 (가지고) 쓸 수 있는 펜을 갖고 있나요?

04 to put the food in / 그 판매원은 음식을 넣을 가방을 준비하고 있다.

05 to walk on the moon / Neil Armstrong은 달 위를 걸은 최초의 사람이었다.

06 to visit Costa Rica / Costa Rica를 방문하기에 가장 좋은 때는 휴가철 이후의 1월이다.

07 to do this project / 당신은 이 프로젝트를 할 최고의 사람이다.

08 to send to friends and family / 나는 친구들과 가족에게 보낼 몇 장의 엽서를 샀다.

09 to read when you are bored / 이것은 당신이 지루할 때

읽기 좋은 짧은 글이다.

10 to solve each day / 우리는 매일 해결해야 할 다양한 문제를 가지고 있다.

11 to get their Christmas gifts / 아이들은 크리스마스 선물을 받아서 매우 기뻐했다.

12 to learn the results of the study / 나는 그 연구의 결과를 알게 되어서 놀랐다.

13 to ignore his suggestions / 그의 제안을 무시하다니 당신은 어리석군요.

14 to find himself in a strange place / 그는 잠에서 깨어 자신이 낯선 곳에 있는 것을 발견했다.

15 to care for your siblings / 당신의 형제자매들을 돌보느라 당신은 무척 피곤함이 틀림없다.

16 to get fresh air in the classroom / 선생님은 교실에 신선한 공기를 들이기 위해 창문을 열었다.

17 to fail the exam again / 그는 열심히 공부했지만, 결국 또 시험에 떨어졌다.

18 to miss the sunrise / 그는 일출을 놓쳐서 매우 실망했다.

19 to climb / 에베레스트 산은 오르기 어렵다.

20 caught by him, to eat / 그에 의해 잡힌 물고기는 먹기에 안전한 것이다.

03 관계사절 Workbook

A 01 털이 빠지다 02 여행가방 03 물건 04 변호사
05 정원 가꾸기 06 입양하다 07 불다 08 초대하다
09 일어나다 10 운명 11 반대하다 12 투표
13 받아들일수 없는 14 다루다 15 기술자
16 던지다 17 방학 18 조종사 19 꽃이 피다
20 정치적인

B 01 financial 02 care 03 punish 04 obviously
05 professional 06 let ~ down 07 share
08 receive 09 stay 10 comfortable 11 mean
12 trust 13 come out 14 electric 15 technology
16 embarrassed 17 gallery 18 expensive
19 traditional 20 access

A 01 ○ 02 × 03 × 04 × 05 ○

B 01 feel 02 with whom 03 who 04 which
05 whenever

C 01 plays 02 about which 03 who 04 when
05 However long it takes

01 그는 90세인 자신의 어머니와 산다.
02 우리는 비행기를 조종할 수 있는 조종사가 필요하다.
03 이것들은 아이들에게 매력적이지 않은 제품들이다.
04 우리는 썩는 데 오랜 시간이 걸리는 비닐봉지를 사용하지 말아야 한다.
05 이 영화를 만든 감독이 나의 삼촌이다.
06 자신의 직업에 만족하는 직원들은 더 열심히 일한다.
07 나는 쉽게 운반될 수 있는 접이식 자전거를 사고 싶다.
08 그녀는 내가 함께 일했던 여자이다.
09 이것은 내가 정말 갖고 싶었던 한정판 책이다.
10 이것은 내가 오늘 아침에 들었던 소식이다.
11 내 남동생이 내가 지난주에 산 액자를 망가뜨렸다.
12 Jack은 내가 함께 영화 보러 같이 가는 내 친구이다.
13 이것은 사용자가 등록했던 그 이름이다.
14 내가 협상하는 사람들은 나를 평화조정자로 안다.
15 나는 직업이 약사인 친구들이 있다.
16 나는 취미가 동전 수집하기인 남자를 안다.
17 그것은 문이 파란색으로 칠해진 집이다.
18 그는 내가 의견을 존중하는 남자이다.
19 차를 도난당한 그 남자는 경찰에 신고했다.
20 나는 내 시선을 사로잡은 표지가 있는 책 한 권을 집어 들었다.

01 when we talk about gun regulation / 지금은 우리가 총기 규제에 대해 이야기할 때이다.

02 when I was selected as captain / 그 해는 내가 선장으로 뽑혔던 해였다.

03 when he saved my life / 나는 그가 내 생명을 구해줬던 그 날을 결코 잊지 못할 것이다.

04 when the professional baseball season begins / 4월은 프로야구 시즌이 시작되는 달이다.

05 when I opened my restaurant in New York / 2010년은 내가 뉴욕에서 나의 레스토랑을 열었던 해이다.

06 where the sea meets the land / 이곳은 바다가 육지와 만나는 장소이다.

07 where the dog was abandoned / 이 모퉁이는 새끼 고양이가 버려졌던 곳이었다.

08 where I found on the Internet / 내가 인터넷에서 발견한 그 리조트는 굉장하다.

09 where I had been waiting for him / 그는 내가 그를 기다리고 있던 빈 교실로 들어왔다.

10 where the snow had melted / 눈이 녹은 운동장은 진흙투성이었다.

11 why I love the cello / 이것은 내가 첼로를 좋아하는 이유이다.

12 why I should apologize to you about it / 내가 그것에 대해 너에게 사과해야 할 이유는 없다.

13 why you were late for school / 네가 학교에 늦었던 이유를 내게 말해줄 수 있니?

14 why snow is slippery / 그것은 눈이 미끄러운 이유이다.

15 why your conscience bothers you / 당신의 양심이 당신을 괴롭히는 몇 가지 이유가 있다.

16 how you look at me / 나는 당신이 나를 바라보는 방식이 맘에 들지 않는다.

17 I feel about him / 그것이 바로 내가 그에 대해 느끼는 방식이다.

18 I care for you / 내가 너에게 갖는 관심의 방식을 결코 어느 누구에게도 갖지 않을 거야.

19 they look / 사람을 겉모습을 보고 판단해서는 안 된다.

20 how I can describe it / 이것은 내가 그것을 묘사할 수 있는 방법이다.

해석 Practice ③
본문 132쪽

01 그는 자신의 아들에 대해 생각하고 있었는데, 그의 아들은 전쟁에서 사망했다.

02 Tom은 25살 된 딸이 하나 있는데, 그녀는 하버드를 졸업했다.

03 그 책의 이름은 '동물 농장'인데, George Orwell에 의해 쓰여졌다.

04 나는 이 제안을 지지하는데, 그것은 매우 합리적이다.

05 나는 새벽에 책 읽는 것을 좋아하는데, 그 때는 매우 조용하다.

06 밤에 운전하지 않는 것이 더 좋은데, 그 때 대부분의 사건이 발생한다.

07 나는 작은 동네 가게를 마침내 찾았는데, 그 곳에서 나는 여러 해 동안 일했었다.

08 우리는 놀이공원에 갔는데, 거기에서 우리는 멋진 시간을 보냈다.

09 올리브 오일은 비타민 K가 풍부한데, 그것은 혈액 응고에 매우 중요한 역할을 한다.

10 우리에게 시간이 없는데, 그것은 우리에게 선택의 여지가 없다는 것을 의미한다.

11 나는 내가 정말 사랑하는 두 명의 아름다운 아이가 있다.

12 사람들은 당신이 결코 상상하지 못한 많은 것들을 발명하기 위해 웹을 사용한다.

13 우리가 놓친 어떤 다른 유용한 정보들이 있나요?

14 이것은 내가 엄마 생신을 위해 샀던 스카프이다.

15 당신은 내가 찾고 있는 남자가 아니다.

16 당신은 축구경기가 시작되는 시간을 아나요?

17 이곳은 그들이 첫 번째 우주선을 발사한 장소이다.

18 10개의 새로운 혁신 중 8개가 실패한 이유들이 여기에 있다.

19 Peter는 우리의 프로젝트에 관련되어 있는 기술자이다.

20 그녀는 의사가 되려고 공부하고 있는 간호사이다.

해석 Practice ④
본문 134쪽

01 whoever you want / 당신이 원하는 사람 누구에게나 당신은 말할 수 있다.

02 Whoever cares to learn / 배우려고 애쓰는 사람은 누구나 항상 선생님을 찾아낼 것이다.

03 whoever wants it / 나는 그것을 원하는 사람이면 누구든지 그것을 줄 것이다.

04 Whoever wins the race / 경기에 이기는 사람은 누구든지 상을 받을 것이다.

05 Whoever wants to work with us / 우리와 함께 일하고 싶은 사람은 누구든지 나에게 이메일을 보내십시오.

06 whatever you want / 네가 원하는 것은 무엇이든 살 수 있다.

07 Whatever it was / 그것이 무엇이든, 그녀는 그것을 좋아하지 않았다.

08 Whatever happens / 무슨 일이 일어나도, 나는 항상 당신을 생각할 것이다.

09 whatever you are saying / 네가 말하는 것이 무엇이든 들을 가치가 있다는 것을 명심해라.

10 Whatever he was doing / 그가 무엇을 하고 있든, 그것은 합법적이지 않다.

11 whenever you feel thirsty during exercise / 네가 운동하는 동안 목이 마를 때마다 물을 마셔라.

12 whenever you want to / 당신은 당신이 원할 때 언제든지 떠날 수 있다.

13 Whenever I feel sad / 나는 슬플 때마다 음악을 듣는다.

14 whenever I make a speech in front of people / 나는 사람들 앞에서 연설할 때마다 항상 불편함을 느낀다.

15 wherever you want / 당신이 원하는 곳 어디서나 내릴 수 있다.

16 Wherever you go / 네가 어디에 가든지, 집과 같은 곳은 없다.

17 Wherever he is / 그가 어디에 있든지, 나는 그가 행복하길 희망한다.

18 However tired he is / 그는 아무리 피곤하다 할지라도 잠자리에 들기 전에 일기를 쓴다.

19 However hard you listen / 네가 아무리 열심히 듣는다 할지라도, 너는 결코 이해하지 못할 것이다.

20 However long it takes / 시간이 아무리 오래 걸려도, 나는 원어민처럼 영어를 말할 것이다.

CHAPTER 04 주어 — Workbook

단어 Review
본문 136쪽

A 01 고대의 02 저항하다 03 승진하다 04 분명한
05 불확실한 06 반응 07 서류, 문서 08 접근하다
09 예측하다 10 뒷받침하다 11 사막
12 낙담시키다 13 ~에 달려 있다 14 받아들이다
15 괴롭히다 16 졸업 17 서류 가방 18 속이다
19 증거 20 이론, 학설

B 01 vehicle 02 failure 03 mystery 04 view
05 useful 06 cruel 07 rest 08 magical
09 horrible 10 deaf 11 form 12 offer
13 depend on 14 ability 15 in advance
16 reach 17 camel 18 affect 19 deal with
20 carry

개념 Review
본문 137쪽

A 01 ○ 02 ○ 03 × 04 × 05 ○
B 01 are 02 Whether 03 Who 04 What 05 It
C 01 is 02 That 03 doesn't 04 of 05 It

해석 Practice ①
본문 138쪽

01 pollution과 are 사이 / 환경오염을 줄이려는 그러한 노력은 새롭다.

02 Prizes와 is 사이 / 두 개의 노벨상을 받은 유일한 여성은 Marie Curie이다.

03 hours와 looked 사이 / 몇 시간 동안 기다리고 있던 사람들은 열기로 지쳐 보였다.

04 me와 handed 사이 / 내 옆에 서 있던 남자가 내게 쪽지를 건네주었다.

05 party와 were 사이 / 그 파티에 초대된 사람들 중 대부분이 이웃이었다.

06 engineer와 is 사이 / 기술자에 의해 수리된 컴퓨터가 다시 고장 났다.

07 hotel과 was 사이 / 호텔의 맨 위층에서 본 광경은 훌륭했다.

08 was와 a 사이 / 두 팀 간에 많은 경쟁이 있었다.

09 London과 is 사이 / 런던을 통과하여 흐르는 강은 템즈강이라 불린다.

10 say와 is 사이 / 내가 말할 수 있는 유일한 것은 "할 수 있는 동안 그것을 즐겨라"이다.

11 style과 is 사이 / 그의 그림 스타일이 아프리카 스타일에 의해 영향을 받았다는 것이 분명하다.

12 assistance와 is 사이 / 그가 도움 없이도 숨을 쉴 수 있다는 것은 사실이 아니다.

13 suggestions와 embarrassed 사이 / 그녀가 내 제안을 거절했다는 것이 나를 당황하게 했다.

14 contest와 is 사이 / 그가 말하기 대회에서 1등을 했다는 것은 믿을 수가 없다.

15 meetings와 is 사이 / 많은 회사가 너무 많은 회의를 갖고 있다는 것은 확실하다.

16 rumor와 is 사이 / 그것이 사실인지 혹은 소문인지는 불확실하다.

17 plan과 is 사이 / 그녀가 우리의 계획에 동의하는지 아닌지는 또 다른 문제이다.

18 Mars와 has 사이 / 화성에 생명체가 있는지 없는지는 과학자들에게 인기 있는 주제였다.

19 succeed와 is 사이 / 그가 성공할지 아닐지는 내가 답할 수 없는 문제이다.

20 car와 should 사이 / 그 차량에 어떤 손상이 있는지 없는지는 점검되어야 한다.

해석 Practice ②
본문 140쪽

01 Who will take part in the meeting / 누가 회의에 참석할 것인지는 중요하지 않다.

02 Why he needs that much money / 그가 왜 그렇게 많은 돈을 필요로 하는지는 비밀이다.

03 Where you live / 당신이 어디에서 사는가는 당신이 누구인지에 대하여 많은 것을 말해준다.

04 When he will retire / 그가 언제 은퇴할지는 우리에게 알려져 있지 않다.

05 How he survived the storm / 그가 폭풍우에서 어떻게 살아남았는지는 여전히 수수께끼이다.

06 What I think / 내가 생각하는 것은 다른 사람들의 의견과는 다르다.

07 What bothers me most / 나를 가장 괴롭히는 것은 위층에 사는 내 이웃들이 내는 소음이다.

08 What you will learn in this book / 당신이 이 책에서 배우게 될 것은 당신의 직업을 현명하게 선택하는 법이다.

09 What she worries about / 그녀가 걱정하는 것은 남편의 건강이다.

10 What you are going to eat / 당신이 먹으려는 것은 건강한 지역 음식이다.

11 to walk alone at night / 당신이 밤에 혼자 걷는 것은 안전하지 않다.

12 to make a wise decision / 그가 현명한 결정을 내리는 것이 필요하다.

13 to give me another chance / 제게 또 한 번의 기회를 주시다니 당신은 친절하시군요.

14 to send her such an e-mail / 그녀에게 그런 이메일을 보내다니 너는 어리석었다.

15 to stand on one leg / 그녀가 한 발로 서 있는 것은 쉽다.

16 that he will pass the examination / 그가 시험에 통과할 것이 확실하다.

17 that the brain only weighs three pounds / 뇌의 무게가 겨우 3파운드라는 것은 놀랍다.

18 that we imagine a modern city without glass / 우리가 유리 없는 현대 도시를 상상하는 것은 불가능하다.

19 that Brazil will win the football World Cup / 브라질이 축구 월드컵에서 우승할 것이라고들 한다.

20 that there are over half a million words in the English language / 영어에는 50만 개가 넘는 단어가 있다고 알려져 있다.

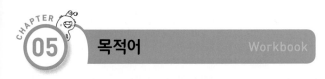

CHAPTER 05 **목적어** Workbook

단어 Review 본문 142쪽

A 01 해결하다 02 일반 사람들, 대중 03 전략적인

04 비밀 05 가을 06 행운 07 점원
08 이로운, 유익한 09 소비자 10 틀린, 잘못된
11 발견하다 12 중요하다, 문제가 되다 13 목록
14 설명하다 15 믿다 16 칭찬 17 여기다, 생각하다
18 관련있는 19 편리한 20 사과하다

B 01 bump into 02 deliver 03 pension
04 account 05 recover 06 pedestrian
07 notice 08 retire 09 maintain 10 appreciate
11 suppose 12 commercial 13 used to
14 fundamentally 15 plan 16 park 17 enter
18 realize 19 refund 20 wonder

개념 Review 본문 143쪽

A 01 × 02 × 03 ○ 04 ○ 05 ○
B 01 helping 02 that 03 what 04 whether
05 it
C 01 related 02 whether 03 convenient 04 what
05 to interpret

해석 Practice ① 본문 144쪽

01 그 도시는 역사적으로 중요한 오래된 건물들을 보존하기 위해 노력해왔다.

02 그는 다음 학기를 위해 더 열심히 공부하기로 약속했다.

03 당신은 저기 검은 셔츠를 입고 있는 소년을 아나요?

04 하늘을 가로질러 날고 있는 새들을 보세요.

05 이 데이터베이스에는 잡지와 학술지에서 찾을 수 있는 기사들이 포함되어 있다.

06 나는 분홍색 풍선으로 가득찬 방에 들어갔다.

07 Jane은 그녀의 작은 보석들을 모두 넣을 수 있는 주머니가 달린 드레스를 좋아한다.

08 우리는 열정, 에너지, 그리고 창의력이 있는 사람을 찾고 있다.

09 나는 자신을 사랑하지 않는 사람을 신뢰하지 않는다.

10 결과는 항상 우리가 내린 모든 결정을 따른다.

11 나는 당신이 그 회사를 떠날 것이라는 얘기를 들어 유감이다.

12 전문가들은 다가오는 가뭄이 광범위할 것이라고 믿는다.

13 나는 모든 위험이 예견될 수 있는 것은 아니라고 이해한다.

14 나는 당신이 정말 특별하다고 생각한다.

15 나는 그가 나타나지 않을 것이라고 추측한다.
16 당신은 옷을 사기 전에 그것에 어떤 손상이 있는지 확인해야만 한다.
17 우리는 관광이 해로운지 유익한지를 말할 수 없다.
18 나는 그 호텔이 역 근처에 위치하고 있는지 아닌지 알고 싶다.
19 그들은 우리가 결혼을 했는지 아닌지 우리에게 물었다.
20 나는 당신이 생선을 먹을지 고기를 먹을지 궁금하다.

본문 146쪽

해석 Practice ②

01 when the show will be over / 나는 쇼가 언제 끝날지 궁금하다.
02 how much money he earns / 나는 그가 돈을 얼마나 버는지 관심 없다.
03 who made the sculpture / 누가 그 조각품을 만들었는지 아무도 확실히 모른다.
04 how lucky she is / 그녀는 자신이 얼마나 운이 좋은지 모른다.
05 what causes illness / 질병을 일으키는 것이 무엇인지 누가 처음 발견했는가?
06 that diabetes will be cured soon / 나는 당료가 곧 낫기를 바란다.
07 what I'm saying / 제가 무엇을 말하는지 이해합니까?
08 that she will save my life / 나는 그녀가 내 목숨을 구해 줄 것이라고 믿는다.
09 that parents are the best teachers / 많은 사람들은 부모가 최고의 선생님이라고 말한다.
10 that I have to follow the rules / 나는 그 규칙을 따라야 한다는 것을 기억한다.
11 to sit for any period of time / 통증 때문에 잠시라도 앉는 것이 어렵다.
12 to get out of bed for my classes / 나는 수업을 위해 잠자리에서 일어나는 것이 어렵다는 것을 알았다.
13 to define words with other words / 그 아이는 낱말들을 다른 낱말들로 정의하는 것이 이상하다고 생각했다.
14 to create stronger links among universities / 나는 대학들 사이에 더 강한 유대감을 만드는 것이 중요하다고 생각한다.
15 to be connected with family members / 칭찬을 하는 것은 가족 구성원과 더 쉽게 연결되도록 만든다.
16 to drive for long periods of time / 나는 장기간 운전하는 것이 어렵다는 것을 알게 되었다.
17 to criticize him in front of the team / 그들은 팀 앞에서 그를 비난하는 것은 무례하다고 생각했다.

18 to compare ourselves with others / 나는 우리들을 다른 사람들과 비교하는 것이 좋다고 생각하지 않는다.
19 to reduce your waist size / 야식을 먹는 것은 당신의 허리 사이즈를 줄이는 것을 어렵게 만든다.
20 to go jogging every morning / 나는 아침마다 조깅하는 것을 규칙으로 한다.

CHAPTER
06 보어

본문 148쪽

단어 Review

A 01 지우다 02 자원 03 생각 04 중요한, 주된
05 며칠 전에 06 지역의 07 실험 08 성공적인
09 약속 10 좌절하게 하다 11 지혜 12 감지하다
13 서로 다른 14 제품 15 대화 16 청중
17 지지자 18 진찰[검사]하다 19 지식
20 다가오다, 접근하다
B 01 sign 02 show up 03 allow 04 cause
05 force 06 discover 07 destroy 08 cost
09 defend 10 choose 11 maintain 12 advise
13 experience 14 expect 15 positive 16 crawl
17 quality 18 pride 19 attack 20 expert

본문 149쪽

개념 Review

A 01 ○ 02 ○ 03 × 04 × 05 ×
B 01 understanding 02 annoyed 03 what
04 to earn 05 know
C 01 repaired 02 that 03 satisfied
04 chat[chatting] 05 turn

본문 150쪽

해석 Practice ①

01 그의 나쁜 습관은 인스턴트 음식을 즐기는 것이다.
02 나의 좌우명은 겸손하고 항상 최선을 다하는 것이다.
03 때때로, 최선의 계획은 계획을 갖지 않는 것이다.

04 나의 유일한 소망은 나의 아내와 두 아이들과 함께 하는 것이다.
05 나의 직업은 한국 문화에 관해 세계에 알리는 것이다.
06 그녀의 계획은 그녀가 캐나다에서 2년간 사는 동안 영어를 배우는 것이다.
07 사실은 우리가 변화하고 있는 문화 속에서 산다는 것이다.
08 가장 중요한 것은 당신이 침착함을 유지하는 것이다.
09 나의 바람은 우리 팀이 제 시간에 그 프로젝트를 끝내는 것이다.
10 나의 의견은 Luke가 이 사고에 대해 직접적인 책임이 있다는 것이다.
11 문제는 우리가 변화를 우리의 친구로 만들 수 있는가이다.
12 연구 주제는 화성에 생명체가 존재하는가였다.
13 쟁점은 Mark가 그 일에 적합한 사람인지였다.
14 문제는 그녀가 왜 자신의 가족에 대해 거짓말을 했는가이다.
15 주요 쟁점은 그 회사가 어떠한 결정을 내렸는가이다.
16 나의 관심사는 신체와 정신이 어떻게 서로에게 영향을 미치는가이다.
17 문제는 누가 이 조직을 이끌 것인가이다.
18 이것은 LA로의 여행을 위해 내가 빌리기를 원하는 것이다.
19 여러분의 작품은 여러분이 누구인지를 표현하는 것입니다.
20 새로운 사람들을 만나는 것은 그녀가 자신의 직업에 있어서 가장 즐기는 것이다.

해석 Practice ②

01 embarrassing / 실수를 하는 것은 누구에게나 당황스러운 것이다.
02 confusing / 이 모든 정보는 사용자에게 혼란스러울 수 있다.
03 exhausting / 동물원에서 걷는 것은 작은 아이들에게는 지치는 일일 수 있다.
04 too boring and simple / Guam에서의 삶은 너무 지루하고 단순했다.
05 pleasing / 하늘에서 본 그 도시의 야경은 만족스러웠다.
06 interested / 그는 우주 연구에 매우 관심이 있다.
07 embarrassed / 나는 내 아들의 무례한 행동에 당황스러웠다.
08 annoyed / 내가 그녀의 드레스에 주스를 흘려서, 그녀는 내게 화가 나 있다.
09 disappointed / 나의 부모님은 내 성적에 실망하셨다.
10 frustrated / 아무도 Tony의 말을 들어주지 않아서, 그는 좌절감을 느꼈다.
11 to be proud of me / 나는 부모님이 나를 자랑스러워하시길 원한다.

12 to say the alphabet from A / 나는 그에게 알파벳을 A부터 말해달라고 부탁했다.
13 to stop / 그의 화가 난 몸짓은 그들에게 그만하라고 말했다.
14 not to take any pictures / 그들은 방문객들에게 어떤 사진도 찍지 말라고 경고했다.
15 to eat vegetables / 나는 나 자신에게 채소를 먹도록 강요해야 했다. (나는 억지로 채소를 먹어야 했다.)
16 to get a job offer so quickly / 나는 그가 그렇게 빨리 일자리 제의를 받을 것이라고는 예상하지 못했다.
17 to pay attention to her own feelings / 의사는 그녀에게 자기 자신의 감정에 주목하라고 말했다.
18 to return the child to his mother / 판사는 그녀에게 아이를 그의 엄마에게 돌려보내라고 명령했다.
19 to participate / 그 프로그램은 초등학교 학생들이 참가하도록 허용한다.
20 to return home / 짙은 연기가 그들을 집으로 돌아가게 했다.

해석 Practice ③

01 나는 그녀가 내 아들과 대화를 하는 것을 보았다.
02 그녀는 자신의 손이 차가운 무언가에 닿는 것을 느꼈다.
03 나는 누군가가 나의 어머니에게 그 소식을 전하는 것을 들었다.
04 나는 그가 누군가에 대해 좋게 말하는 것을 한 번도 본 적이 없다.
05 나는 그 화가의 그림들이 전보다 더 밝아진 것을 알아차렸다.
06 선생님은 남자아이들이 교실 앞에서 줄을 서도록 했다.
07 그가 너를 달콤한 말로 속이도록 내버려두지 마라.
08 나의 동료들은 내가 우리 팀에서 중요하다고 느끼게 했다.
09 나는 여행을 가기 전에 수리공이 내 차를 점검하도록 한다.
10 저는 가능한 한 빨리 당신에게 우리의 결정을 알려드리겠습니다.
11 어느 날 밤에, 그는 개 한 마리가 펄쩍펄쩍 뛰고 있는 것을 보았다.
12 우리는 열차가 지나갈 때 우리 집이 흔들리고 있는 것을 느꼈다.
13 나는 때때로 내 심장이 뛰고 있는 것을 귀로 들을 수 있다.
14 그녀는 그가 창밖으로 수건을 흔들고 있는 것을 보았다.
15 나는 내가 그 이야기를 말하기를 원하고 있다는 것을 알았다.
16 나는 그녀가 불타는 집 밖으로 옮겨지는 것을 보았다.
17 항상 현관문을 잠가두세요.
18 Henry는 경고 표지판이 길가에 세워져 있는 것을 발견했다.
19 당신은 그 프로젝트가 언제 끝나기를 원하십니까?
20 그녀는 식당에서 식사를 하고 있는 동안 신발을 도난당했다.

정답 및 해설 **29**

CHAPTER 07 시제와 수동태 Workbook

단어 Review 본문 156쪽

A 01 강도   02 배달하다   03 반복하다   04 제출하다
05 시도   06 발표하다   07 후원자   08 뒤쫓다
09 담요   10 공연   11 정보   12 무료로   13 위원회
14 계약서   15 기자   16 기부하다   17 밝히다, 결정하다
18 부정적인   19 사용하다, 차지하다   20 실험

B 01 twice   02 final   03 toy   04 actress   05 repair
06 injured   07 create   08 prepare   09 regard
10 factory   11 elect   12 sign   13 another
14 insect   15 block   16 half   17 wrap
18 mayor   19 produce   20 pray

개념 Review 본문 157쪽

A 01 ○   02 ○   03 ×   04 ×   05 ×
B 01 be selected   02 to   03 are   04 to run
05 has not been
C 01 had   02 being   03 be cleaned   04 for
05 have

해석 Practice ① 본문 158쪽

01 어제까지는 날씨가 매우 춥고 바람이 많이 불었었다.
02 내가 그곳에 도착했을 때 파티는 이미 시작했었다.
03 그녀는 자신이 전에 그 경찰관을 본 적이 있다는 것을 깨달았다.
04 그는 중국에서 5년 동안 일해오고 있었다.
05 나는 휴대전화를 집에 두고 와서, 그녀에게 전화를 할 수 없었다.
06 그녀는 자신이 일주일 동안 병원에 있었다고 말했다.
07 당신이 나에게 전화했을 때 나는 막 설거지를 끝냈다.
08 나는 그가 자신의 삶을 군대에서 보냈음을 알았다.
09 그는 아프리카에 가본 적이 있었다고 나에게 말했다.
10 나는 그를 따라갔으나, 그는 이미 사라져버렸다.
11 John은 자신이 방문했던 가게에 대해 불평했다.
12 그는 자신의 가방을 잃어버렸다고 생각했다.
13 그 종업원은 우리가 식사를 마치기도 전에 접시를 치워버렸다.
14 나는 아침에 버스를 놓쳐서 회사에 지각했다.
15 그녀는 남편이 왜 여기에 왔는지에 관해 궁금해했다.

16 그는 자신이 아버지로부터 배웠던 것에 대해 말했다.
17 나는 그날에 어떤 것도 먹지 않았었다고 그에게 말했다.
18 그는 부상을 당한 모든 사람들을 치료했다.
19 그는 자신의 지갑을 어디에 두고 왔는지 기억할 수 없었다.
20 그녀는 길에서 고양이를 발견했었고 그것을 자신의 집으로 데려왔다.

해석 Practice ② 본문 160쪽

01 was found / 그 주제에 관한 어떠한 정보도 Google에서 발견되지 않았다.
02 Was, made / 그 자동차는 한국 회사에 의해 만들어졌나요?
03 was damaged / 그 건물의 지붕은 폭풍으로 피해를 입었다.
04 was stolen / 내 자전거는 이틀 전에 도난당했다.
05 were covered / 그의 다리는 진흙으로 덮여 있었다.
06 will not be made / 내일까지는 어떠한 결정도 내려지지 않을 것이다.
07 Will, be done / 그 프로젝트가 일주일 안에 끝날까요?
08 will be delivered / 당신이 주문하신 것은 2일 내에 배달될 것입니다.
09 will be sent / 청첩장이 다음 주에 발송될 것이다.
10 will be recorded / 당신의 개인 정보는 이곳에 기록될 것입니다.
11 will, be given / 승자들은 무엇을 받게 될까?
12 may be changed / 내일 상황이 바뀔 수도 있다.
13 can be delivered / 우리 식당의 모든 요리는 배달될 수 있습니다.
14 must be paid / 돈이 당장 지불되어야 한다.
15 should be taken / 약은 충분한 물과 함께 복용되어야 한다.
16 must be sent / 그 보고서는 이메일로 보내져야 한다.
17 can be seen / 오아시스는 사막에서 볼 수 있다.
18 must be built / 그 쇼핑 센터는 2020년까지 지어져야 한다.
19 cannot be found / 선택된 파일을 찾을 수가 없습니다.
20 can be, forgotten / 비밀번호는 쉽게 잊혀질 수 있다.

해석 Practice ③ 본문 162쪽

01 나의 어머니가 그 목걸이를 작년에 나에게 주었다.
02 그는 이 질문을 모든 참가자들에게 물었다.
03 그는 잘못된 문자 메시지를 그녀에게 실수로 보냈다.
04 훌륭한 선생님들이 좋은 모든 것을 나에게 가르쳐주었다.
05 나는 파란색 스카프를 나의 어머니에게 사드렸다.

06 선생님은 그 영화를 학생들에게 보여주었다.

07 아버지는 그 연을 우리에게 만들어주었다.

08 이모가 지난밤의 저녁 식사를 우리에게 요리해주었다.

09 Wilson의 고용주는 편지를 그에게 보여주었다.

10 그는 커피 한 잔조차도 우리에게 주지 않았다.

11 Andrew는 그가 방에 들어가는 것을 보았다.

12 그녀는 나에게 거실에 있는 소파를 옮기라고 말했다.

13 그녀는 나에게 일정을 확인해달라고 요청했다.

14 그녀는 작년에 올해의 선수로 지명되었다.

15 그는 나를 두 시간 동안 그곳에 머무르도록 했다.

16 그들은 그에게 다시 시작하라고 격려했다.

17 나는 Kelly가 바이올린을 연주하는 것을 들었다.

18 그는 그들에게 풀을 베도록 시켰다.

19 애완동물이 이 식당에 들어오는 것은 허용되지 않습니다.

20 그 과일은 '가난한 자의 음식'이라고 불린다.

해석 Practice ④ 본문 164쪽

01 have been closed / 그 지역의 은행들이 폐쇄되었다.

02 had been left / 여섯 손님들의 이름이 목록에서 빠져 있었다.

03 has been made / 그 이야기는 Universal Studios에 의해 영화로 만들어졌다.

04 had been destroyed / 많은 집들이 태풍에 의해 파괴되었다.

05 had been canceled / 그녀가 가장 좋아하는 TV 쇼들 중 하나가 취소되었다.

06 has, been found / 그 수수께끼를 해결하기 위한 어떤 단서도 아직 발견되지 않았다.

07 have been closed / 많은 공장들이 캐나다에서 문을 닫았다.

08 has been made / 그의 예술 작품은 재활용된 재료들로 만들어졌다.

09 has been planned / 국립공원이 가까운 미래에 계획되었다.

10 have been trained / 코끼리들이 악기를 연주하도록 훈련 받았다.

11 is being read / 그 책은 많은 학생들에 의해 읽히고 있다.

12 is being cooked / 파티를 위한 음식이 나의 아버지에 의해 야외에서 조리되고 있다.

13 are, being taught / 일부 국가에서는, 많은 아이들이 아직도 텐트에서 가르쳐지고 있다.

14 was being controlled / 그 로봇은 과학자들에 의해 조종되고 있었다.

15 is being praised / 그 영화는 많은 관객들에게서 호평을 받고 있다.

16 are being packed / 내 식료품이 비닐봉지 속으로 채워지고 있다.

17 am being punished / 나는 한 번의 어리석은 실수로 인해 벌을 받고 있다고 느낀다.

18 is being used / 인터넷은 광고를 위해 더 자주 사용되고 있다.

19 were being sold / 상점에서 남성복이 반값에 팔리고 있었다.

20 are being made / 모든 결정들이 정부에 의해 내려지고 있다.

CHAPTER 08 조동사와 가정법 Workbook

단어 Review 본문 166쪽

A 01 지갑 02 기록 03 선수권대회 04 ~을 누설하다
05 비밀 06 ~을 맡은 07 떨어뜨리다 08 ~도중에
09 확실한 10 잊다 11 주문하다 12 마늘
13 제안 14 사려 깊은 15 고함치다 16 기자
17 알리다 18 ~을 찾다 19 사고 20 문자 메시지

B 01 achieve 02 visit 03 yard 04 invite
05 deliberately 06 hesitate 07 happen
08 war 09 choose 10 safe 11 rent
12 win 13 instead of 14 share 15 chemistry
16 semester 17 justice 18 catch 19 affair
20 blaze

개념 Review 본문 167쪽

A 01 × 02 ○ 03 × 04 × 05 ○

B 01 may not have died 02 had known
03 stayed 04 had done 05 were

C 01 must have tried 02 should not have bought
03 had 04 had received 05 could

해석 Practice ① 본문 168쪽

01 당신은 당신이 아는 것보다 더 많이 썼을지도 모른다.

02 그녀의 몸무게는 가을까지 350파운드로 늘었을지도 모른다.

03 마침내 그녀는 자신의 아버지를 보러 갔을지도 모른다.

04 당신이 없었다면, 나는 그를 떠났을지도 모른다.

05 그가 그렇게 어리석은 것을 말했을 리가 없다.

06 그들이 그를 경찰서에 데려갔을 리가 없다.

07 그것이 단지 사고였을 리가 없다.

08 그가 아침까지 우리를 기다렸을 리가 없다.

09 당신과 Jennifer는 같은 고등학교에 다녔음에 틀림없다.

10 그는 선택의 여지가 없다고 느꼈음에 틀림없다.

11 모든 노동자들은 안전 훈련 과정을 반복했음에 틀림없다.

12 그는 자신의 아들이 어린 시절부터 무엇이 되기를 원했는지를 알았음에 틀림없다.

13 Jack은 자신의 전화번호를 변경하였음에 틀림없다.

14 그녀는 그들에게 경고하려고 시도했음에 틀림없다.

15 우리는 그것을 팔기 전에 좀 더 많이 조사를 했어야 했다.

16 나는 그녀의 제안을 즉시 거절했어야 했다.

17 그녀는 그가 완벽한 인간이 아니라는 것을 이해했어야만 했다.

18 나는 그것을 읽으면서 내 시간을 낭비하지 말았어야 했다.

19 그는 자신의 어린 딸을 그렇게 가혹하게 꾸짖지 말았어야 했다.

20 내가 그에 관한 진실을 너에게 말하지 않았어야 했다.

해석 Practice ②
본문 170쪽

01 were / 내가 당신의 입장이라면, 동일한 것을 했을 것이다.

02 were / 그가 정직하지 않다면, 난 매우 충격을 받을 텐데.

03 came / 그녀가 내게 돌아온다면, 나는 그녀에게 사과할 텐데.

04 were / 밤이 없다면, 우리는 낮에 감사하지 않을 것이다.

05 were / 오늘이 세상에서 당신의 마지막 날이라면, 당신은 무엇을 하겠는가?

06 had / 내게 기회가 주어진다면, 나는 그들에게 그 이유를 묻고 싶다.

07 could understand / 그녀가 그 상황을 이해할 수 있다면, 나는 그 사고를 그녀에게 설명할 텐데.

08 had gotten / 내가 돈을 더 받았더라면, 더 멋진 집을 샀을 텐데.

09 had asked / 네가 내게 요청했더라면, 내가 너의 집 페인트칠을 도와주었을 텐데.

10 hadn't lost / 그들이 길을 잃지 않았다면, 저녁에 집에 도착했을 텐데.

11 had not been / 그가 매우 이기적이지 않았더라면, 그는 자신의 야망을 성취할 수 있었을 텐데.

12 had arrived / 그녀가 더 일찍 도착했다면, 그 이상한 광경을 봤을 텐데.

13 had turned / 당신이 불을 켰다면, 당신과 함께 있는 친구를 봤을 텐데.

14 had paid / 당신이 다른 것들에 주의를 기울였다면, 당신의 삶은 매우 다를 텐데.

15 had learned / 내가 피아노를 먼저 배웠다면, 오늘 더 나은 기타 연주자일 텐데.

16 hadn't fought / 우리가 그날 싸우지 않았다면, 우리는 여전히 가까운 친구일 텐데.

17 had not gotten / 그가 지난주에 부상을 입지 않았다면, 오늘 나와 함께 캠핑을 갈 수 있을 텐데.

18 had invented / 내가 타임머신을 발명했다면, 나는 모든 것을 바꿀 텐데.

19 had not become / 그가 회장이 되지 않았다면, 더 적은 걱정거리를 갖고 있을 텐데.

20 had followed / 내가 그때 너의 충고를 따랐다면, 지금 고통을 받고 있지 않을 텐데.

해석 Practice ③
본문 172쪽

01 그가 곧 뭔가 새로운 것을 시작하면 좋을 텐데.

02 내가 더 규칙을 가지고 돈을 모았더라면 좋았을 텐데.

03 주말에 가족과 함께 시간을 보낼 수 있다면 좋을 텐데.

04 내가 회의를 위해 더 큰 장소를 예약했다면 좋았을 텐데.

05 내가 의사라는 것을 그가 기억할 수 있다면 좋을 텐데.

06 그가 그의 방을 나와 같이 쓸 수 있으면 좋을 텐데.

07 그녀가 모든 것에 대해 불평하는 것을 멈추면 좋을 텐데.

08 그가 어떤 것보다 더 많이 나를 사랑한다면 좋을 텐데.

09 그녀가 도시를 떠나는 것에 대해 마음을 바꾸면 좋을 텐데.

10 그녀가 대화할 누군가를 갖는다면 좋을 텐데.

11 오늘 그는 마치 어제 아무 일도 일어나지 않았던 것처럼 행동한다.

12 그는 마치 모든 것이 결정된 것처럼 말했다.

13 그녀는 줄곧 나를 알고 있었던 것처럼 대한다.

14 그가 마치 느린 동작으로 떨어지고 있는 것처럼 보였다.

15 그는 마치 지구가 그에게 속한 것처럼 걷는다.

16 그녀는 마치 나를 아는 것처럼 곧장 나에게 왔다.

17 그는 마치 그녀가 누구인지 전혀 모르는 것처럼 아무 말도 하지 않았다.

18 그는 마치 그곳에 오랫동안 있었던 것처럼 서 있었다.

19 그녀는 마치 마음이 다른 곳에 가 있는 것처럼 그곳에 앉아 있었다.

20 마치 무언가가 크게 잘못된 것처럼 들린다.

CHAPTER 09 접속사와 분사구문 Workbook

단어 Review
본문 174쪽

A 01 메모를 하다　02 알아보다, 인식하다　03 외국인
04 허락[허용]하다　05 규칙적으로　06 바로, 즉시
07 둘러싸다　08 아마　09 ~에 집중하다
10 녹초가 된　11 ~를 태워 주다　12 줄곧, 내내
13 ~을 응시하다　14 연락하다　15 당황한, 난처한
16 초대장　17 불편한　18 모기　19 완전히
20 다가오다

B 01 cure　02 obey　03 divide　04 joke
05 childhood　06 bite　07 lean against　08 spot
09 overnight　10 trap　11 applaud　12 almost
13 wave　14 quit　15 prepare　16 highway
17 award　18 bother　19 insect　20 mud

개념 Review
본문 175쪽

A 01 ×　02 ○　03 ○　04 ○　05 ×
B 01 that　02 Not hurrying　03 Having left
04 such　05 folded
C 01 so　02 that　03 Having grown up
04 Recorded(Having been recorded)　05 coming

해석 Practice ①
본문 176쪽

01 그녀는 꿈을 실현하기 위해 열심히 공부한다.
02 나는 실망하지 않기 위해 어떤 것도 기대하지 않았다.
03 나는 내 일에 집중하기 위해 라디오를 껐다.
04 나는 그의 관심을 얻기 위해 무엇을 해야 할지 알지 못한다.
05 그는 의자를 사기 위해 가구점에 갔다.
06 그녀는 여행 가방을 빌리기 위해 나의 집에 왔다.
07 나는 첫 버스를 타기 위해 일찍 일어났다.
08 그녀는 쇼핑을 좀 하기 위해 홍콩에 갔다.
09 우리는 그의 졸업을 축하하기 위해 함께 모였다.
10 나는 내 직업에서 성공하기 위해 최선을 다할 것이다.
11 그녀는 너무 녹초가 되어서 책상 앞에서 잠들었다.
12 미술관이 너무 붐벼서 우리는 예술 작품을 감상할 수 없었다.
13 아빠가 내게 너무 화를 내서서 나는 아무것도 말할 수 없었다.
14 James는 너무 깊이 잠들어서 엄마가 돌아온 것을 알아차리지 못했다.

15 그녀는 자신의 일을 너무 완벽하게 해서 어떤 실수도 만들지 않는다.
16 김 씨는 너무 조용히 말해서 아무도 그의 발표를 들을 수 없었다.
17 그녀는 너무 똑똑한 학생이어서 장학금을 자주 받는다.
18 너무 화창한 날이라서 옷이 빠르게 마른다.
19 그것은 너무 훌륭한 연설이어서 나는 그것을 내 블로그에 게시했다.
20 그곳은 너무 위험한 지역이어서 아무도 가까이 가서는 안 된다.

해석 Practice ②
본문 178쪽

01 Running on the track / 경주로 위를 달리는 동안, 나는 땀을 많이 흘렸다.
02 Wiping his lips with a tissue / 자신의 입술을 화장지로 닦고 나서, 그는 그것을 땅에 던졌다.
03 not knowing where he was going / 어디로 가고 있는지도 모른 채, 그는 계속 걸었다.
04 quietly taking notes / 조용히 메모를 하면서, 나는 시장의 연설을 들었다.
05 saying that he didn't have enough time / 충분한 시간이 없었다고 말하면서, 그는 변명을 했다.
06 Getting on the bus / 버스에 올라탔을 때, 누군가가 내 발을 밟았다.
07 Visiting your friend's house / 네 친구의 집을 방문할 때, 너는 잘 행동해야 한다.
08 After reaching the summit / 정상에 도착한 후에, 우리는 산을 내려갈 것이다.
09 Telling my troubles to my mom / 엄마에게 고민들을 말하고 나면, 나는 전보다 훨씬 더 기분이 좋아졌다.
10 Taking a walk in the park / 공원에서 산책을 하다가, 그는 자신의 부인에게 전화를 걸었다.
11 Being tired / 우리는 피곤해서, 집에 일찍 왔다.
12 The questions being difficult / 질문들이 어려워서, 나는 그것들을 풀 수 없었다.
13 Not getting a ticket / 표를 구하지 못해서, 그는 야구장에 들어갈 수 없었다.
14 Feeling dizzy / 어지러움을 느껴서, 그녀는 눈을 감고 잠시 쉬었다.
15 Having a toothache / 치통이 있어서, 그녀는 약을 좀 먹었다.
16 Using a taxi / 택시를 이용한다면, 당신은 곧 거기에 도착할 것이다.
17 Turning left / 왼쪽으로 돌면, 당신은 버스정류장을 발견할 수 있다.

18 Practicing more / 더 연습한다면, 그녀는 운전면허 시험에 통과할 것이다.

19 Being ill / 네가 아프다면, 나와 함께 갈 필요가 없다.

20 Keeping on listening to loud music / 시끄러운 음악을 계속 듣는다면, 당신은 청력을 잃을 수도 있다.

해석 Practice ③
본문 180쪽

01 저녁 식사를 마친 후에, Andrew는 설거지를 하기 시작했다.

02 이미 그 소식을 들어서, 그는 그다지 놀라지 않았다.

03 숙제를 한 후, 나는 여동생과 보드게임을 했다.

04 너무 오랫동안 그를 보지 못해서, 나는 그를 즉시 알아볼 수 없었다.

05 어제 지갑을 잃어버려서, Jack은 지금 큰 곤경에 처해 있다.

06 전에 그 성에 가 본 적이 있어서, 그는 그곳에 다시 가기를 원하지 않았다.

07 대학에서 프랑스어를 공부했기 때문에, 나는 그 언어를 잘 말한다.

08 홀로 남겨졌을 때, 그는 무엇을 해야 할지 알지 못했다.

09 Sam은 실망하고 화가 나서, 그냥 걸어 나가버렸다.

10 수년 전에 지어졌기 때문에, 그 집들은 낡아 보인다.

11 가난한 가정에서 태어나서, 나는 매우 이른 나이에 일하기 시작했다.

12 평범한 옷을 입어서, 당신은 처음에는 인상적으로 보이지 않았어요.

13 많은 사람들에 의해 둘러싸여서, 나는 쉽게 움직일 수가 없었다.

14 힘든 일에 지쳐서, 그는 평소보다 더 일찍 잠자리에 들었다.

15 Danny는 눈을 뜬 채로 기도했다.

16 그녀는 개들이 자신을 향해 짖을 때 위층으로 뛰어 올라갔다.

17 우리는 서로에게 시선을 고정한 채 서 있었다.

18 그녀는 냄비가 끓을 때 부엌을 떠났다.

19 그는 신발이 젖은 채로 호텔 안으로 걸어 들어왔다.

20 우리는 등을 켜둔 채 무서운 이야기를 나누었다.

CHAPTER 10 강조 · 부정 · 도치
Workbook

단어 Review
본문 182쪽

A 01 창의력 02 ~에 관해서는

03 필요로 하다, 관련시키다 04 매체 05 삭제하다

06 똑똑한 07 완전히, 아주 08 기사 09 기회

10 전사 11 탑승한 12 해결책, 치료 13 기술

14 전달하다, 나르다 15 장치 16 녹화[녹음]하다

17 부정확한 18 ~ 때문에 19 떡 20 거절하다

B 01 develop 02 include 03 pass 04 grass

05 yard 06 absent 07 allow 08 bridge

09 lead to 10 courage 11 hang 12 detail

13 several 14 bounce 15 fear 16 north

17 quality 18 script 19 bank 20 pole

개념 Review
본문 183쪽

A 01 × 02 ○ 03 ○ 04 ○ 05 ×

B 01 that 02 No one 03 celebrates 04 did

05 he comes

C 01 that[which] 02 is 03 have

04 does she understand 05 came the sun

해석 Practice ①
본문 184쪽

01 내가 항상 두려워했던 것은 바로 어둠이다.

02 그 문제를 일으킨 사람은 바로 Cathy였다.

03 내 머릿속에 떠오른 것은 바로 우주에 관한 이야기였다.

04 내가 내 부인인 Carol을 만났던 곳은 바로 그 식당이었다.

05 내가 쇼핑몰에서 그를 보았던 때는 바로 어제였다.

06 내가 휴식을 위해 내 아파트로 돌아갔던 때는 바로 저녁 식사를 한 뒤였다.

07 내가 종종 오븐으로 굽는 것은 바로 당근 케이크이다.

08 나는 왜 아무도 나를 인정하지 않는지 이해가 안 된다.

09 그의 학급에 있는 학생들 중 아무도 숙제를 하지 않았다.

10 우리 둘 다 어제 교통사고에서 다치지 않았다.

11 비록 그는 어리지만 결코 시간을 낭비하지 않는다.

12 술은 당신의 뇌와 심장에 전혀 좋지 않다.

13 오늘은 국경일이기 때문에 어떤 학생들도 학교에 있지 않다. (오늘은 국경일이기 때문에 학교에 학생들이 한 명도 없다.)

14 그는 혼자 앉았고 아무도 그에게 주의를 기울이지 않았다.

15 그 노부부가 매일 아침마다 조깅하러 가는 것은 아니다.

16 당신은 동시에 둘 다 선택할 수는 없다.

17 다른 사람들을 친절한 방식으로 대하는 것이 항상 쉬운 것은 아니다.

18 바쁜 것이 반드시 나쁜 것은 아니다.

19 나는 그 모든 파일을 USB 드라이브에 저장할 수는 없었다.

20 속도가 항상 문제를 해결하기 위한 최선의 방법은 아니다.

해석 Practice ②

01 그는 그것을 읽을 수 있을 뿐만 아니라 그것을 쓸 수도 있었다.
02 그들은 무례할 뿐만 아니라 이기적이다.
03 나는 그가 1등상을 받을 것이라고는 거의 생각하지 못했다.
04 그는 이 여행이 인생을 얼마나 많이 바꿀 것인지 거의 알지 못한다.
05 나는 그의 얼굴에 떠오른 미소를 결코 잊지 못할 것이다.
06 내가 인생에서 이보다 더 화난 적은 한 번도 없다.
07 그는 그녀가 자신을 좋아한다는 것을 거의 알지 못한다.
08 나는 그렇게 현대적이고 똑똑한 남자를 거의 본 적이 없다.
09 그녀는 좀처럼 라디오를 듣지 않는다.
10 나는 좀처럼 낯선 사람들과 이야기하거나 그들의 차에 타지 않는다.
11 탁자 위에는 램프와 화분이 놓여 있다.
12 나무 아래에서 노인이 자고 있었다.
13 북쪽에서 바람이 강하게 불었다.
14 해변에서 그들은 여러 개의 큰 모래성을 만들었다.
15 모퉁이를 돌면 바로 퍼레이드가 있었다.
16 그는 가능한 한 빠르게 방 밖으로 뛰어나왔다.
17 그들은 벽 위에 재즈 축제를 위한 포스터를 붙였다.
18 길 아래쪽에 레모네이드와 아이스크림을 팔고 있는 두 남자가 있다.
19 정문 앞에 '이곳에 주차하지 마시오'라는 표지판이 있었다.
20 공중 높은 곳에 한 무리의 새들이 있었다.

정답 및 해설 **35**

Memo

Memo

Memo

Memo

이룸이앤비의 특별한 중등 수학교재 시리즈

숨마쿰라우데® 중학수학 개념기본서 시리즈

Q&A를 통한 스토리텔링식
수학 기본서의 결정판! (전 6권)

– 중학수학 개념기본서 1–상 / 1–하
– 중학수학 개념기본서 2–상 / 2–하
– 중학수학 개념기본서 3–상 / 3–하

숨마쿰라우데® 중학수학 실전문제집 시리즈

숨마쿰라우데 중학 수학 「실전문제집」으로
학교 시험 100점 맞자! (전 6권)

– 중학수학 실전문제집 1–상 / 1–하
– 중학수학 실전문제집 2–상 / 2–하
– 중학수학 실전문제집 3–상 / 3–하

숨마쿰라우데® 스타트업 중학수학 시리즈

한 개념 한 개념씩 쉬운 문제로 매일매일 꾸준히
공부하는 기초 쌓기 **최적의 수학 교재!** (전 6권)

– 스타트업 중학수학 1–상 / 1–하
– 스타트업 중학수학 2–상 / 2–하
– 스타트업 중학수학 3–상 / 3–하

이룸이앤비의 특별한 중등 영어교재 시리즈

숨마 주니어® WORD MANUAL 시리즈

중학 주요 어휘 총 **2,200단어**를 수록한

『어휘』와 『독해』를 한번에 공부하는 **중학 영어휘 기본서!** (전 3권)

- WORD MANUAL ❶
- WORD MANUAL ❷
- WORD MANUAL ❸

숨마 주니어® 중학 영문법 MANUAL 119 시리즈

중학 영어 문법 마스터를 위한

핵심 포인트 119개를 담은 단계별 문법서! (전 3권)

- 중학 영문법 MANUAL 119 ❶
- 중학 영문법 MANUAL 119 ❷
- 중학 영문법 MANUAL 119 ❸

숨마 주니어® 중학 영어 문장 해석 연습 시리즈

중학 영어 교과서에서 뽑은 핵심 60개 구문!

1,200여 개의 짧은 문장으로 **반복 훈련하는 워크북!** (전 3권)

- 중학 영어 문장 해석 연습 ❶
- 중학 영어 문장 해석 연습 ❷
- 중학 영어 문장 해석 연습 ❸

숨마 주니어® 중학 영어 문법 연습 시리즈

중학 영어 필수 문법 56개를

쓰면서 마스터하는 문법 훈련 워크북!! (전 3권)

- 중학 영어 문법 연습 ❶
- 중학 영어 문법 연습 ❷
- 중학 영어 문법 연습 ❸